おとなの気づかい、ネイティブ流

57 Invincible English Conversation Patterns to Communicate Your Feelings

キモチが伝わる 無敵の英会話 57パターン

塚本 亮

RYO TSUKAMOTO

はじめに

海外に行かなくても英語に触れる機会が多い時代になりました。

英語を母国語とする環境で生まれ育った人だけでなく、世界中の人々が英語を使ってコミュニケーションをとっています。

英語を学ぶ環境やメソッドも多様化し、自分に合ったものを選ぶことが容易になったのではないでしょうか。それによって、なんとなくでも、上手ではなくても英語を使ってコミュニケーションがとれる人も増えてきたように思います。

一方で

「この英語って相手に失礼な表現になっていないかな」
「もっと柔らかい表現で伝えたいけど、どんな表現がいいのだろう」
「もっとスマートに伝えるにはどうしたらいいのだろう」

と感じている人は少なくないでしょう。

そうです。コミュニケーションは単なる情報のキャッチボールではありません。人は相手に伝えたい、わかってほしい気持ちを抱きながらコミュニケーションしています。想いがあります。

そんなあなたにお届けしたいのが本書です。

心から申し訳ないと、ちゃんと伝わる謝罪がしたい

感情的にならず、スマートに相手の提案を断りたい

嫌味にならないよう、催促したい

押し付けがましくならないよう、提案したい

そんな、伝えたいキモチが伝わる、気づかいができる素敵な表現。

こうしたフレーズが、気負わず口からスッと出てくるようになれば、あなたの周りに敵なんてまずできませんし、誰とでもオープンで暖かな人間関係ができて、またあなたと話したいと言われることになるでしょう。

本書はみなさんが日々抱くであろう心の声をベースにして、どんな表現がベストなのかを考えてまとめました。

章立てを少しお見せすると、次のようになっています。

Chapter1　まずはちゃんと「聞く」から始める
Chapter2　寄り添い、共感するキモチを表す
Chapter3　ワクワク、ポジティブなキモチを伝える
Chapter4　悩みや不安を率直に話す
Chapter5　自分から誘う、提案をする
Chapter6　相手が動きたくなる主張と説得
Chapter7　非難とお断りのキモチをうまく伝える
Chapter8　お願いごともスマートに

初めての人と知り会う、新しいチームに入って仕事を始めるといったときにも必要な、コミュニケーションの順序を意識しました。

相手の話を聞く姿勢を見せ、実際に深く理解するための質問。

会話で、確認したり共感したりしながらスタートする人間関係。

前向きなキモチ、ポジティブな場をつくっていきたいですね。

時には悩みを伝えたり、ありのままの姿を見せることも、関係を深くすることに結びつきます。

一緒に日々を過ごす中には、誘ったり誘われたり、いろいろな提案もあるでしょう。

話し方ひとつで、思わず動きたくなるよう、やる気にさせることもできますし、逆に断り方ひとつで関係にヒビが入ったりします。

なるべく話し合いはオープンに、相手を尊重はするけれど、かしこまり過ぎない＜ええ感じ＞のコミュニケーションがとれると無敵です。

日本語でも「お手数をおかけしますが、」「せっかくですが、」などのようにパターンがありますが英語でも同じで、定型的なパターンを習得することが効果的です。

本書では57の型と豊富な練習問題を用意しましたので、ぜひ読んで理解して、解いて理解を深めるという流れでステキで気の利いた英語を習得しましょう。

表現の幅をどんどん広げていきましょうね！

Chapter 1 まずはちゃんと「聞く」から始める

Chapter 2 寄り添い、共感するキモチを表す

Chapter 3 ワクワク、ポジティブなキモチを伝える

Chapter 4 悩みや不安を率直に話す

Chapter 5 自分から誘う、提案をする

Chapter 6 相手が動きたくなる主張と説得

Chapter 7 非難とお断りのキモチをうまく伝える

Chapter 8 お願いごともスマートに

本書の使い方

1.まずは型を覚えよう

本書では57のキモチが伝わる英語の型をご紹介しています。

スポーツも音楽も、まずは基本的な型を習得しますよね。そのときのことを思い返してみてほしいのですが、何度も何度も反復しているうちに、徐々に無意識にできるようになっていきます。

アルバイトや仕事だってそうでしょう。ある程度のパターンがあって、慣れるまではマニュアルなどを読み返してああかなこうかな、とやりますが、慣れると何も見なくてもスムーズにできるようになっていきます。

57の型があります

音声をダウンロードしてアプリや端末で聞くと効果大！

18
Pattern
かわいそうに、と同情する型
14
I feel sorry for
をかわいそうに（気の毒に）思う

I feel sorry for the children who don't have access to education.

教育を受けることができない子どもたちを気の毒に思います。

「をかわいそうに思う」の表現で一般的によく使われます。このフレーズは日常的な会話で広く使い、人の不幸や困難な状況に、同情や憐れみを表現するのに適しています。

「I feel sorry for」は、さまざまな状況に対する同情や憐れみを表現します。

※I am sorry とは違います！
I am sorry は自分の過ちに対する謝罪、I feel sorry は他者の不運や困難に対する共感や同情を表します

例 I feel sorry for the tourists who got caught in the bad weather.
悪天候に巻き込まれた観光客たちを気の毒に思います。

get caught in：～に巻き込まれる、ひどい目に遭う

例 I feel sorry for the puppy that can't find its favorite toy.
お気に入りのおもちゃが見付からない子犬をかわいそうに思います。

58

英語においてもよく使われる表現やフレーズがだいたい決まっています。 そのため、型を覚えておけば、その後に続く動詞や名詞などを置き換えるだけで、表現の幅がぐんと広がります。

日本語だって同じで、友人だったら「～だと思うよ」というところを、目上の方には「～だと思います」とか「～だと存じます」とか相手や状況に応じて型を使い分けています。

Ⓐ Did you hear about the layoffs at the factory?

Ⓑ Yes, I feel sorry for those workers. Finding a new job won't be easy.

Ⓐ 工場での解雇のこと聞いた？
Ⓑ ええ、あの労働者たちのことを思うと気の毒で。新しい仕事を見つけるのは簡単じゃないでしょう。

Ⓐ My neighbor's dog passed away yesterday.

Ⓑ That's sad. I feel sorry for her; she really loved Kuro.

passed away：消え去る、（ここでは）亡くなる、死ぬ

Ⓐ お隣の犬が昨日死んでしまったんだ。
Ⓑ それは悲しいね。彼女のことを思うと気の毒だ。本当にクロのことを愛していたから。

I feel sorry for と I feel pity for

feel pity for 🍎 も同様の意味を持ちますが、ややフォーマルな文脈や、より強い憐れみを表現する際に使うことがあります。

- I feel pity for the injured bird.
  ケガをした鳥に同情します。
- I feel pity for the overworked staff.
  過労のスタッフに同情します。
- I feel pity for the families who lost everything in the flood.
  洪水で全てを失った家族たちに同情します。

「feel pity for 🍎」を使って、ある困難な状況に置かれた個人やグループへの同情や憐れみを簡潔に表現しています。

2 寄り添い、共感するキモチを表す

59

ですから本書で紹介している型はどういうシーンで使うといいのかを理解して、それを覚えましょう。

音声も活用しながら、まずは紹介している英文を何度も何度も自分に刷り込みましょう。音声はまずは耳が覚えてしまうくらいに聞き込むとベストです。ある程度慣れてきたら、この項の後半にある音声の使い方にステップアップしてみてください。

なお、英語の型で出て来る記号には意味があります。

🏃 ＝動詞
🍎 ＝名詞
🚃 ＝主語＋述語

この型の後につなげることばは動詞なのか、名詞なのか、一緒に覚えておくと、さまざまに応用がききます。

2.トレーニングで「わかる」を「できる」に変える

頭でわかっていることでも、結局いざというときに口から出てこないと身についたとは言いづらいですよね。もちろん理解するというのは大事なプロセスで、それをすっ飛ばすわけにはいきませんが、本書では使えるようになる、できるということをゴールと想定しています。

Exercises

（　　）内に入る単語を考えましょう。

7 来週、一日休んでもよろしいですか？
(W　　) you (m　　) if I took a day off next week?

8 今週末にハイキングに行くことに興味があったりしますか？
(W　　) you be (i　　) in going hiking this weekend?

9 この分野でのあなたの経験についてもっと詳しく説明してもらえますか？
Can you (e　　) (m　　) about your experience in this field?

10 最後に新しいことに挑戦したのはいつですか？
When was the (l　　) (t　　) you tried something new?

11 水を一杯もらってもいいですか？
(M　　) I (h　　) a glass of water?

12 結果について詳しく教えてもらえますか？
(C　　) you (e　　) on the results?

35

そこで、各章の最後に練習問題をご用意しています。いくつかの型を学んだ後の混合テストなので、勉強したことの復習効果が高まります。

穴あき問題は、ヒントとして最初のアルファベットを入れています。赤シートをお持ちでしたら、かぶせるとほとんど見えなくなりますので、ヒントなしでも試せます。

3 択問題は、（　　）内に示された選択肢のうち、どれがその文の中で適当か、考えてみましょう。

単語を並べ替えて英文を作るエクササイズでは、自分で英語の文を作る能力が向上します。単語がどういう順番でつながるのかを、練習問題でしっかり身につけましょう。

Answers

08

1 May I sit here?
ここに座ってもいいですか？

2 Would you be interested in volunteering for the community event?
コミュニティイベントでボランティアをすることに興味があったりしますか？
in の後ろには名詞が必要なので volunteer の動名詞 volunteering が来ています。

3 Could you elaborate on the risks?
リスクについて詳しく説明してもらえますか？
多くの異なるリスク要因が考慮されるため、risks と複数形になります。

4 What are your views on climate change?
気候変動に対するあなたの考えは何ですか？
気候変動 = climate change

5 When was the last time you cooked a meal?
最後に料理をしたのはいつですか？
cook a meal は、「食事を作る」という意味の表現です。

6 If you don't mind me asking, why did you choose this college?
もし聞いてもよければ、なぜこの大学を選んだのですか？

34

エクササイズの答えは、次のページに載せています。

正しい答えを確認してから、ぜひ音声を聞いて音読してください。

ワシントン大学の認知心理学者ヘンリー・ロディガー教授とジェフリー・カーピキ教授が行った研究では、「テスト自体に学習効果があり、単純に覚えようとするよりも一度自分の中で正解は何なのかとあれやこれや試行錯誤するほうが理解が深まり、記憶に残る」ことがわかっています。

記憶に残し、言いたいキモチがすぐに口から出て来るように、楽しみながら試行錯誤しましょう！

3.音声はリズムと抑揚を意識して

英会話をさらに上達させたい方は、本書の音声を聞いて、そっくりそのまま真似をするような感じで声に出してみると、とても効果的です。そのときに大事なのは、文字をなぞることではなくて、音としての英語を意識することです。

なかでも日本語と英語ではリズムと抑揚が大きく異なります。

日本語は子音と母音がペアのようになっているケースがとても多いですね。サ（SA） シ（SI） ス（SU） セ（SE） ソ（SO）のように。

しかし、そもそも英語の26のアルファベットのうち、母音（a,e,i,o,u）は5つで残りの21はすべて子音です。catやthankなどを見てもわかるように、子音の方が多く使われるんですね。

だから英語のリズムを意識して音声をしっかり聞いて、真似を出すようなイメージで声に出さないと、ついつい余計な母音が増えたりしてカタカナ英語のような英語になってしまいます。余計な音が入っているので当然リズムが変わってしまうんです。つまりリズムを意識して聴き、リズムを意識して真似をすることが大切なのです。

そして、抑揚です。力を入れるところと抜くところを意識することがとっても大切。英語に耳を傾けるとラップを聴いてるんじゃないかと思うくらい強弱がすごいですよね。日本語は抑揚が少なめなのでちょっと平坦になりやすいです。どこが強く読まれていて、どこが弱く読まれているかも意識して聴いてみてください。そしてそこもなるべく真似をしてみてください。英語が上達するし、その感覚が身についてくるとリスニング力も向上します。

本書では57の型にしたがった英語の例文をご紹介しています。
20ページにダウンロードの方法を載せていますので、スマホや端末に音声をダウンロードして、聞いてみましょう。

各型の例文は、イラストを見て会話のシーンやキモチをイメージしつつ、音声を聴いてみましょう。説明ページでは、型を身につけやすい比較的簡単な例文や、どういうシチュエーションで使っているのかイメージしやすい会話が、そしてエクササイズでは少し応用を利かせたフレーズが、ネイティブによって吹き込まれています。
ぜひ聴いて、真似て声に出してみてください。

また、日本語のナレーションの後に2秒ほどのポーズを空けて英文を話しています。音声だけでも、
①日本語を聴く
→②英語の答えを口に出してみる
→③英文の解答がわかる
という使い方ができます。

カナダのウォータールー大学の心理学者、コリン・マクロードは、音読が記憶に与える影響について広範囲にわたって研究しています。彼と彼の共同研究者たちは、人々が音読した言葉やテキストを、黙読した場合よりも一貫してよく覚えていることを示しています。音読による記憶促進効果は特に子供たちに強いですが、年配の人々にも効果があります。「年齢層を通じて有益です」と彼は言っています。
マクロードは、この現象を「プロダクション・エフェクト」と名付けました。声に出して読むことが、それらの言葉の記憶を改善するということです。

音声データについて

本書の本文の例文（和訳＋英文）の音声 は、下記で聞くことができます。

1.【ASUKALA】アプリを携帯端末にダウンロード

お持ちの端末で下記にアクセスして日香出版社音声再生アプリ【ASUKALA】をインストールすると、ダウンロードした音声がいつでもすぐに再生でき、音声の速度を変えられるなど学習しやすいのでおすすめです。（無料です。個人情報の入力は必要ありません）

2.音声データをダウンロード

ASUKALA アプリから、『キモチが伝わる　無敵の英会話 57 パターン』音声データ（mp3 形式）をダウンロードして聞いてください。

ダウンロードパスワードは、下記のとおりです。

【233357】

ASUKALA アプリを使用せず、パソコンや携帯端末の音楽アプリでダウンロードしたデータを聞くこともできます。下記にアクセスしてください。

https://www.asuka-g.co.jp/dl/isbn978-4-7569-2333-2/index.html

※ 音声ファイルは、一括した圧縮ファイルをダウンロードした後に解凍してお使いください。
※ 音声の再生には、mp3 ファイルを再生できる機器などが必要です。ご使用の機器、音声再生ソフトなどに関する技術的なご質問は、ハードメーカーもしくはソフトメーカーにお願いします。
※ 音声ダウンロードサービスは予告なく終了することがあります。
※ CD で音声を聞きたいお客様には、送料込み 1000 円でお分けしています。ホームページよりお問い合わせください。　https://www.asuka-g.co.jp/contact/

Chapter 1

まずはちゃんと「聞く」から始める

🔊 01

Pattern 01

丁寧に許可をとる型

May I 🏃 ?

🏃してもいいですか？

May I join you for lunch?

一緒にランチに行ってもいいですか？

相手への礼儀を示して、許可を得ることで尊敬の意を表しています。オーソドックスな、気づかいが感じられる許可の取り方です。

May I は、これからする行動に許可をもらうことで、相手への礼儀と敬意を反映しています。また、相手の権限やプライバシーを尊重し、無断で行動することを避ける意向を示しています。

自分本位ではなく、相手の同意を得ることを重視。社会的なルールやマナーを意識して、おとなとして適切な方法で接することを、ことばで示しています。

例 May I leave a message?

メッセージを残してもいいですか？

例 May I ask a question?　質問してもいいですか？

相手の空間や時間に土足で踏み込むことを避け、その境界を尊重する意識があります。

例 May I offer some advice?　助言をしてもいいですか？

こんな提案も、さしでがましくなく伝えることができます。

Ⓐ That looks like a really interesting book.

Ⓑ Yes, it's a great read.

Ⓐ May I borrow it for a few days?

Ⓑ Of course, feel free to.

Ⓐ これはとても面白そうな本ですね。 Ⓑ ええ、本当に素晴らしいですよ。
Ⓐ 数日間、この本を借りてもいいですか？ Ⓑ もちろん、どうぞ。

May I ～？と言われたときの答え方

①肯定的な答え方

単純な肯定

Yes, you may.

Certainly.

Of course.

よりポジティブな肯定

Absolutely,go ahead.

Sure, please do.

Yes, you may. That would be fine.

②条件付きの答え方

時間や状況に依存する条件付き

Yes, you may, but please wait until after the meeting.

Certainly, as long as you have finished your work.

単純な否定

I'm sorry, but you may not.

Unfortunately, that's not possible.

No, I'm afraid not.

理由を含む否定

I'm sorry, but you may not due to the current regulations.

Unfortunately, no, because it's too late now.

Ⓐ May I use your Wi-Fi?

Ⓑ Sure, let me give you the password.

Ⓐ That's great, thanks!

Ⓐ Wi-Fi 使ってもいいですか？ Ⓑ もちろん、パスワードを渡すね。

Ⓐ 素晴らしい！ありがとう！

◀)) 02

Pattern 02

相手のキモチを尊重しながら許可を求める型

Would you mind if I 🏃?

🏃してもいいですか？

Would you mind if I sat here?

ここに座ってもよろしいですか？

何かをする前に許可をもらおうと使う表現です。このフレーズは、相手のキモチや状況を尊重する意思を示しており、丁寧なコミュニケーションです。

このような表現は、相手が不快に感じる（＝mind）ような言動を避けようとしているキモチを伝え、また相手に選択肢を与えることができます。英語圏の文化では、このように直接的ではなくて、相手の反応を考慮した表現が好まれることが多いです。

Would you mind if I 🏃？は相手のキモチや不都合を優先して尋ねる表現であり、前項 May I 🏃？は、これに比べると直接的に許可を求める表現です。

Would を使うと、押し付けがましくなく、あくまで仮定の話であるようなニュアンスを出すことができます。
現実と距離を置く意味合いから仮定法の would の後ろにくる if 節の動詞は過去形が使われます。

例 Would you mind if I used your phone charger?

あなたの携帯電話の充電器を使ってもよろしいですか？

例 Would you mind if I invited some friends over?

友達を招待してもよろしいですか？

Ⓐ Would you mind if I opened the window?

Ⓑ Not at all, go ahead.

Ⓐ 窓を開けてもよろしいですか？ Ⓑ 全然かまいません、どうぞ。

Would you mind if I 〜？と聞かれたときの答え方

①同意

シンプルな同意

No, I wouldn't mind.

No, not at all.

No, go ahead.

より強調的な同意

No, please do.

No, of course not. Feel free.

No, by all means.

②否定

直接的な反対

Yes, I would mind.

Actually, yes, I'd prefer if you didn't.

理由を含む反対

Yes, I would mind, because I'm trying to concentrate right now.

I would, actually. I need it at the moment.

Ⓐ Would you mind if I borrowed your pen?

Ⓑ No problem, just make sure to return it later.

make sure to：必ず〜する

Ⓐ あなたのペンを借りてもよろしいですか？

Ⓑ 問題ありません、ただ後で返してくださいね。

Ⓐ Would you mind if I took a break now?

Ⓑ Sure, you've been working hard. Take a rest.

Ⓐ 今、休憩をとってもよろしいですか？

Ⓑ いいですよ、一生懸命働いていましたから。休んでください。

◀)) 03

Pattern
押し付けがましくなく興味関心を尋ねる型

03 Would you be interested in 🍎?

🍎に興味あったりします？

Would you be interested in joining our team?

私たちのチームに参加することに興味があったりしますか？

話題にしているアイデア、提案、活動、または機会（🍎に該当する部分）に相手が興味あるかどうかを、ゆるやかに尋ねます。

この質問は、相手の興味や意欲を探って、参加を促すためによく使います。こう尋ねることで、相手に選択の自由と、否定的なことでも遠慮なく口にできるようなキモチの余裕を与えて、その提案に積極的かどうかを確認します。

Would は、ここでは丁寧な依頼や提案を表すのに使って、相手に敬意を示し、相手が断りやすくなるような柔軟な状況を作り出します。
もしこれが Will you be interested in...? だと、より断定的な表現になり、相手がプレッシャーを感じるかもしれません。

例 Would you be interested in **attending a workshop?**
ワークショップに参加することに興味があったりしますか？
→チャレンジを始めませんか？

例 Would you be interested in **watching a movie tonight?**
今夜、映画を観ることに興味があったりしますか？
→一緒に映画を観ませんか？

このフレーズは、相手に圧力をかけることなく、共有の活動や機会について話し合う際に、特に効果的です。また、質問で相手の関心や好みを理解することで、より良い関係を築くことができます。

would you be interested in と are you interested in

Would you be interested in 🍎と Are you interested in 🍎は両方とも興味や関心を尋ねるフレーズですが、ニュアンスに違いがあります。

Would you be interested in 🍎は、仮定的な表現で将来の可能性や提案に対する相手の興味を探る際に使います。何か新しいことに対する関心を尋ねるために使うことが多いです。
例えば、「Would you be interested in joining our book club?」で、話し手は相手が読書クラブに加入することに興味があるかどうかを探りますが、まだ具体的な行動を期待しているわけではありません。

Are you interested in 🍎は、より直接的で現在の状況に焦点を当てたフレーズです。相手がすでに話題のトピックや活動に関心を持っているかどうかを尋ねるときに使用されます。
例えば、「Are you interested in photography?」という質問は、相手が現在写真に関心を持っているかどうかを直接尋ねるものです。

Ⓐ Would you be interested in going to a jazz concert next week?

Ⓑ Yes, I love jazz! That sounds great.

Ⓐ 来週、ジャズコンサートに行くことに興味があったりしますか？
Ⓑ はい、ジャズが大好きです！それは素晴らしいですね。

04

Pattern

意見を聞かせての型

04 What are your views on 🍎?

🍎についてどう思いますか？

What are your views on healthy eating?

健康的な食生活についてどう思いますか？

気になるトピックや問題について、相手の意見や見解を尋ねる際に使います。

What are your views on 🍎 ? というフレーズは、相手とオープンに対話したいですよ、というキモチを示します。

いろいろ聞きたいことがあったとしても、Yes、No で答える質問ばかりしていると、相手は尋問されているようでツラくなりますし、会話も広がりません。

相手の意見 =views を尊重すると同時に、自分自身の理解を深めたいときに what で質問していきましょう。

例 What are your views on **social media?**
ソーシャルメディアについてどう思いますか？

例 What are your views on **artificial intelligence?**
人工知能についてどう思いますか？

artificial intelligence：人工知能＝ AI

相手は知識、経験に基づく意見を自由に話してくれるでしょう。

それを聞くと、あなたは広い視野での問題解決や意思決定ができるようになりますね。また、相手の意見を尋ねることは、関係を深めて、信頼され相互理解していくのに役立ちます。

例 What are your views on **the future of our company?**

私たちの会社の未来についてどう思いますか？

このタイプの質問は、会話の中でより深く考えたり、知識を共有するための手段としても有効ですね。

Ⓐ What are your views on **the new city recycling program?**

Ⓑ I think it's a great initiative.

Ⓐ 新しい市のリサイクルプログラムについてどう思いますか？
Ⓑ 素晴らしい取り組みだと思います。

Ⓐ What are your views on **working from home?**

Ⓑ I think it gives a good balance between work and life, but it needs a lot of self-control.

work from home：在宅勤務
self-control：自制、自制心

Ⓐ 在宅勤務についてどう思いますか？
Ⓑ ワークライフバランスを良くするものだと思いますが、自制も大いに求められます。

◀)) 05

Pattern

05 もっと知りたいの型
Can you explain more about ●?
もっと詳しく●のこと教えて

Can you explain more about the rules of this game?

このゲームのルールについてもっと詳しく説明してもらえますか？

気になるトピックについて追加情報や詳細を聞くとき使うフレーズです。この表現は、理解を深めたいキモチや、話題に対する興味を示すために使います。

このフレーズは、相手のほうが詳しいだろう話題のとき、対象となるトピックに自分は関心を持っていて、もっと知りたい、より深く理解したいのだというキモチを伝えて、教えてもらいます。

この質問は今ある情報に満足しておらず、追加の説明や詳細が必要だと感じていることを反映しています。

また、対象に対してオープンで学ぶ意欲があることを示し、新しい知識や情報を吸収しようとする好奇心も表しています。

例 Can you explain more about the history of this place?
この場所の歴史についてもっと詳しく説明してもらえますか？

例 Can you explain more about your daily routine?
あなたの日常のルーティーンについて、もっと詳しく説明してもらえますか？

多くの場合、自分が好きなこと、自分のことに興味を持って聞いてくる人に対して、悪い印象を持ちません。対話を通じて相手からより詳しい情報を得ることで、もっと深く知ろう、そして親しく会話したいというあなたの前向きな姿勢が伝わるでしょう。

Ⓐ I've heard about this new diet called keto. Can you explain more about how it works?

how it works：どう作用するか、機能

Ⓑ Sure, it's a low-carb, high-fat diet that aims to put your body in a state of ketosis.

in a state of：～な状態に

Ⓐ ケトという新しいダイエットについて聞いたことがあります。どのように機能するのか、もっと詳しく説明してもらえますか？

Ⓑ もちろんです。それは炭水化物を制限し、脂質を多く摂ることで体をケトーシス状態にするダイエットです。

Ⓐ I'm thinking of starting a blog. Can you explain more about how to get started?

get started：行動に移す、スタートする

Ⓑ Absolutely! First, you'll want to choose a platform and then decide on your topic.

Ⓐ ブログを始めようと思っています。どう始めればいいのか、もっと詳しく教えてもらえますか？

Ⓑ もちろんです！まず、プラットフォームを選んで、次に自分のトピックを決めることから始めます。

🔊 06

Pattern

06 Could you elaborate on 🍎?

もっと教えての型

より詳しく🍎のこと教えて

Could you elaborate on **the benefits?**

その利点についてもっと詳しく教えてもらえますか？

相手への尊重を示しつつ、話をより深く、具体的に進めようとしていることを示します。また友人や家族、同僚との日常的な会話で、話題に興味を持っていて、さらに情報を知りたいという姿勢を示すことができます。

相手とのコミュニケーションを深め、より効果的な協力関係を築きたいというキモチがあることを示します。

曖昧さをなくし、ある事柄についてはっきりと理解したいという意向があります。Could you と丁寧なことばで聞くことで、相手の意見や見解を重視していることを示しています。

例 Could you elaborate on **how you made for that dish?**
その料理のレシピについて詳しく教えてもらえる？

特にビジネスやプロジェクトの文脈において、具体的で建設的なフィードバックを求めている場合にも使います。

例 Could you elaborate on **the changes?**
変更点について詳しく教えてもらえますか？

Ⓐ I heard you have changed companies.

Ⓑ Yes, I recently started working at a new place.

Ⓐ Sounds interesting. Could you elaborate on what your new role is?

Ⓑ Sure. I manage tech projects and work with teams to finish them on time.

Ⓐ 聞いたんだけど、会社変わったって本当？
Ⓑ ええ、最近新しい会社で働き始めました。
Ⓐ 面白そう。新しい仕事の内容についてもっと詳しく教えてくれる？
Ⓑ もちろん。技術プロジェクトを管理して、チームと一緒に時間内に完成させる仕事をしています。

Could you elaborate? と Can you explain?

Could you elaborate? と前項の Can you explain? はどちらも相手に対してさらなる情報を求める際に使う表現ですが、2 つの間には微妙な違いがあります。

Could you elaborate on? は、すでに提供された情報やアイデアについて、より深く、具体的な詳細や追加情報を求める際に使います。

例 あるプロジェクトの概要を説明された後、その特定の側面について「Could you elaborate on the implementation plan?」と尋ねる。

Can you explain? は、自分が理解していない概念、プロセスや状況についての基本的な説明や明確化を求めるときに使います。

例 新しいシステムや複雑なトピックについて、「Can you explain how this works?」と尋ねる。

🔊 07

Pattern 最近のあなたのこと教えての型

07 When was the last time you 🏃?

最後に🏃したのはいつ？

When was the last time you saw a movie?

最後に**映画を**観たのはいつですか？

この質問は、相手の最近の経験や活動に関する情報を得ることを目的としています。
また、会話を始めるためのアイスブレーカーとしても使うことがあります。

この質問は、会話の中で相手の趣味、関心、ライフスタイル、最近の出来事などについて話を広げるのに、ちょうどいいです。

相手の経験や過去の活動に関心を示すことで、より親密な会話をできるようになります。

例 When was the last time you **exercised**?

最後に運動したのはいつでしょう？

→そろそろ運動した方がいいですよ。一緒にしましょう！

例 When was the last time you **met** with old friends?

最後に**昔の友人と**会ったのはいつですか？

仕事では特に次のような形で使うと、相手のビジネス上のニーズや問題点を理解するのに役立ちます。相手のビジネス習慣、業界の動向、過去の経験などに関する貴重な情報を収集する手段となりえます。収集した情報をもとに、相手のニーズに合わせカスタマイズした提案をしやすくなります。

When was the last time you faced a challenge with...?

また、以下のような質問は、相手のビジネスでの具体的なニーズや課題を掘り下げるのに役立ち、より効果的なビジネスコミュニケーションができます。

例 When was the last time you **evaluated** your marketing strategy?

最後にマーケティング戦略を評価したのはいつですか？

→そろそろマーケティング戦略を見直す時期じゃないですか？

Ⓐ When was the last time you **went on a vacation?**

Ⓑ Oh, it's been a while. I think it was last summer.

Ⓐ That's quite a long time ago. You should plan one soon.

it's been a while：久しぶり

Ⓐ 最後に休暇に行ったのはいつですか？
Ⓑ ああ、結構前だね。たぶん去年の夏だったと思う。
Ⓐ それはずいぶん前ですね。そろそろ計画した方がいいですよ。

相手がとろける前フリ言葉

If you don't mind me asking,

もし聞いてもよければ…

このフレーズは、個人的な、またはデリケートな質問をする前に、相手に礼儀を示し、「その質問が不快でなければ（=mind）答えてほしい」という意向を伝えます。相手のプライバシーやキモチを尊重する姿勢がよく伝わります。

If you don't mind me asking, how did you find your current job?
もし聞いてもよければ、現在の仕事はどうやって見つけたのでしょう？

If you don't mind me asking, where did you buy that dress?
もし聞いてもよければ、そのドレスはどこで買ったのでしょう？

If you don't mind me asking, why are you moving to a new city?
もし聞いてもよければ、なぜ新しい街に引っ越すのでしょう？

Ⓐ If you don't mind me asking, where did you get those beautiful earrings?

Ⓑ Oh, I bought them on my last trip to Paris. They were at a little boutique near the Louvre.

Ⓐ 聞いてもいいですか、その素敵なイヤリングはどこで手に入れたんですか？

Ⓑ ああ、これは最後にパリへ行ったときに買ったんです。ルーブル美術館の近くの小さなブティックで見つけたの。

(　　)内に入る単語を考えましょう。

1 ここに座ってもいいですか?

(M　　) I sit here?

2 コミュニティイベントでボランティアをすることに興味があったりしますか？

Would you be (i　　) in volunteering for the community event?

※～でボランティアをする＝ volunteer for

3 リスクについて詳しく説明してもらえますか？

(C　　) you elaborate on the risks?

4 気候変動に対してどう思いますか？

What are your (v　　) on climate change?

※どう思いますか？→あなたの考えは何ですか？

5 最後に料理をしたのはいつですか？

(W　　) was the last time you cooked a meal?

6 もし聞いてもよければ、なぜこの大学を選んだのですか？

If you don't mind me (a　　), why did you choose this particular college?

※もし聞いてもよければ→私が質問しても不快でなければ

08

1 May I sit here?

ここに座ってもいいですか？

2 Would you be interested in volunteering for the community event?

コミュニティイベントでボランティアをすることに興味があったりしますか？

in の後ろには名詞が必要なので volunteer の動名詞 volunteering が来ています。

3 Could you elaborate on the risks?

リスクについて詳しく説明してもらえますか？

多くの異なるリスク要因が考慮されるため、risks と複数形になります。

4 What are your views on climate change?

気候変動に対してどう思いますか？

気候変動＝ climate change

5 When was the last time you cooked a meal?

最後に料理をしたのはいつですか？

cook a meal は、「食事を作る」という意味の表現です。

6 If you don't mind me asking, why did you choose this college?

もし聞いてもよければ、なぜこの大学を選んだのですか？

(　　　)内に入る単語を考えましょう。

7 来週、一日休んでもよろしいですか?

(W　　　) you (m　　　) if I took a day off next week?

※よろしいですか?→あなたの気分を損ねませんか?

8 今週末にハイキングに行くことに興味があったりしますか?

(W　　　) you be (i　　　) in going hiking this weekend?

9 この分野でのあなたの経験についてもっと詳しく説明してもらえますか?

Can you (e　　　) (m　　　) about your experience in this field?

※相手の経験について、事前にいくらか説明されている

10 最後に新しいことに挑戦したのはいつですか?

When was the (l　　　) (t　　　) you tried something new?

11 水を一杯もらってもいいですか?

(M　　　) I (h　　　) a glass of water?

12 結果について詳しく教えてもらえますか?

(C　　　) you (e　　　) on the results?

※まだ話し手はその結果について情報を持っていない

09

7 Would you mind if I took a day off next week?

来週、1日休んでもよろしいですか？

take a day off は「休暇をとる」という意味です。go to work（仕事に行く）の反義語と言えるでしょう。

8 Would you be interested in going hiking this weekend?

今週末にハイキングに行くことに興味があったりしますか？

go hiking に似た表現としては、以下のようなものがあります。go walking（散歩する）、go trekking（トレッキングする）、go backpacking（バックパッキングする）

9 Can you explain more about your experience in this field?

この分野でのあなたの経験についてもっと詳しく説明してもらえますか？

this field は、「この分野」という意味になります。具体的には、話している人が経験や知識を持っている特定の領域や専門分野を指します。

10 When was the last time you tried something new?

最後に新しいことに挑戦したのはいつですか？

try something new は、「何か新しいことに挑戦する」という意味になります。

11 May I have a glass of water?

水を1杯もらってもいいですか？

a cup of coffee（一杯のコーヒー）、a bottle of water（一本の水）、a slice of cake（一切れのケーキ）などのような表現も覚えておきましょう。

12 Could you elaborate on the results?

結果について詳しく教えてもらえますか？

(　　　)内にどの語を入れるとよいか考えましょう。

13 プロジェクトの計画についてもっと詳しく説明してもらえますか？

（Do, Can, May） you explain more about your plan for the project?

※説明してもらえますか？→説明することは可能でしょうか？

14 現在の教育システムに対するあなたの考えは何ですか？

What are your views （in, on, about） the current education system?

15 最後に家族に会いに行ったのはいつですか？

When was the （last, new, near） time you visited your family?

16 私たちの会議を延期してもよろしいですか？

Would you （mind, think, tell） if I postponed our meeting?

※よろしいですか？→イヤじゃありませんか？

17 新しい言語を学ぶことに興味があったりしますか？

(Could, Shall, Would） you be interested in learning a new language?

※興味がありますか？よりも奥手

18 読んでいる本についてもっと詳しく教えてもらえますか？

Could （I, you, we） elaborate on the book you’re reading?

10

13 Can you explain more about your plan for the project?

プロジェクトの計画についてもっと詳しく説明してもらえますか？

14 What are your views on the current education system?

現在の教育システムに対するあなたの考えは何ですか？

current は「現在の」や「今の」という意味の形容詞で、現在進行中の、または最新の状態や事柄を指します。

15 When was the last time you visited your family?

最後に家族に会いに行ったのはいつですか？

visit your family は、「家族を訪ねる」という意味の表現です。

16 Would you mind if I postponed our meeting?

私たちの会議を延期してもよろしいですか？

postpone は「延期する」という意味の動詞です。予定されていたイベントや活動を、後の日時に移すことを指します。同義語としては、delay（遅らせる）defer（延期する）、put off（延期する）があります。

17 Would you be interested in learning a new language?

新しい言語を学ぶことに興味があったりしますか？

learning a new language に近い表現として、acquiring a new language（新しい言語を習得する）、studying a foreign language（外国語を勉強する）、mastering a new language（新しい言語を習得する）などもあります。

18 Could you elaborate on the book you're reading?

読んでいる本についてもっと詳しく教えてもらえますか？

the movie you watched（あなたが観た映画）、the song you're listening to（あなたが聴いている曲）、the game you're playing（あなたがプレイしているゲーム）に置き換えてもいいでしょう。

(　　)内の語を入れ替えて正しい文を作りましょう。

19 あなたのノートを見てもいいですか?

(at / take / I / a / look / may) your notes?

※ take と look, どちらが動詞だろう?

20 このプロジェクトで協力することに興味があったりしますか?

(would / in / collaborating / you / on / interested / be) this project?

※ on と in の使いどころは?

21 あなたのふるさとについてもっと詳しく説明してもらえますか?

(you / more / hometown / explain / about / can / your) ?

22 パーティーを早めに退出してもよろしいですか?

(if / mind / I / you / would / left) the party early?

※ mind と left どちらが主文の述語?

23 最後にITシステムを更新したのはいつですか?

(time / was / last / when / the / you) updated your IT systems?

24 人工知能に対するあなたの考えは何ですか?

(your / are / views / what / on) artificial intelligence?

※ artificial intelligence = AI

11

19 May I take a look at your notes?

あなたのノートを見てもいいですか？

take a look at はより特定的で目的を持った見方を示し、look at はより一般的な見方を示します。

20 Would you be interested in collaborating on this project?

このプロジェクトで協力することにご興味はありませんか？

collaborate の後ろには通常、on や to が来ることが多いです。collaborate on は、共同で取り組む具体的なプロジェクトや活動が、collaborate to は、共通の目的がきます。

21 Can you explain more about your hometown?

あなたのふるさとについてもっと詳しく説明してもらえますか？

22 Would you mind if I left the party early?

パーティーを早めに退出してもよろしいですか？

leave the party は「パーティーを去る」または「パーティーから出る」という意味です。exit the party（パーティーを退出する）、depart from the party（パーティーから出発する）leave the gathering（集まりを去る）が似た表現です。"

23 When was the last time you updated your IT systems?

最後に IT システムを更新したのはいつですか？

24 What are your views on artificial intelligence?

人工知能に対するあなたの考えは何ですか？

artificial は「人工の」という意味です。例えば、artificial sweetener（人工甘味料）、artificial grass（人工芝）というふうに使われます。

Chapter 2

寄り添い、共感する キモチを表す

12

Pattern 相手の状況に共感や理解を示す型

08 You must be ♡.

あなたの♡ですよね

You must be **worried** about the exam.

試験について心配しているでしょう。

このフレーズは、相手のキモチや状況に対する共感や理解を示すために使います。私はあなたの立場を想像し、キモチや反応を認識していますよ、と示すことができます。

このような表現は、相手が喜んでいるときは共に喜び、心配して悩んでいるときにはそれに寄り添う、共感的なコミュニケーションを促します。

このフレーズは相手の状況やキモチを理解しようとしていることを伝えますが、推測に基づいているため、相手の実際のキモチや状況と異なる場合もあるでしょう。それを念頭に置いて、ポジティブな内容は元気よく、ネガティブな内容は寄り添うようなトーンで使うと、より相手のキモチを共有している雰囲気が出ます。

例 You must be **excited about your upcoming vacation.**
これからの休暇にわくわくしているでしょう。

例 You must be **proud of your achievements.**
自分の成果を誇りに思っているでしょう。

Ⓐ You just finished running your first marathon, right?

Ⓑ Yes, I did!

Ⓐ You must be tired, but also proud of yourself.

Ⓐ 最初のマラソンを走り終えたばかりですよね？
Ⓑ はい、そうです！
Ⓐ 疲れているでしょうけど、自分自身を誇りに思っているでしょうね。

Ⓐ I heard you got the promotion at work.

Ⓑ Yes, I've been working hard for it.

Ⓐ You must be really excited about the new opportunities.

Ⓐ 仕事で昇進したと聞きました。
Ⓑ はい、そのために一生懸命働いてきました。
Ⓐ 新しい機会にとてもわくわくしているでしょう。

Ⓐ Your daughter's wedding is next month, isn't it?

Ⓑ Yes, it's coming up fast!

Ⓐ You must be busy with all the preparations.

Ⓐ あなたのお嬢さんの結婚式は来月ですよね？
Ⓑ ええ、もうすぐです！
Ⓐ すべての準備で忙しいでしょうね。

🔊 13

Pattern 09 感謝、感動を伝える型

I'm touched by 🍎

🍎に心を打たれた

I'm touched by your kindness.

あなたの優しさに心を打たれています。

この表現は、人の優しさや思いやりなど、人間的な行いに対する感謝のキモチや深い共感や感謝、心温まるキモチを表す際に使うことが多いです。

I'm touched by を使うことで、周りの人々の優しさ、サポート、愛情などに対する感謝や感動を表現しています。

● touched；touchの過去分詞形で、ここでは「感動する」「心を打たれる」といった意味を持ち、感情的な影響や深い印象を受けた状態を示します

例 I'm touched by your words.

● by；この前置詞は、感動や影響の源を示します。ここでは何か特定の行為、人、出来事などが感動の原因であることを指しています

あなたの言葉に心を打たれています。

例 I was touched by a gift my friend gave me.

友人からの贈り物に心を打たれました。

Ⓐ I saw that your coworkers threw you a surprise party.

Ⓑ Yes, I'm touched by their thoughtfulness. It really made my day.

throw a party：パーティーを開催する
make my day：（ある人のおかげで）楽しかった

Ⓐ 同僚たちがサプライズパーティーを開いてくれたのを見たよ。
Ⓑ うん、彼らの思いやりに心を打たれたよ。本当に嬉しかった。

Ⓐ How are you feeling after the surgery?

Ⓑ Much better, thanks. I'm touched by all the get-well cards I received from friends.

Ⓐ 手術の後、どう感じているの？
Ⓑ ずっと良くなったよ、ありがとう。友人たちから届いた快気祝いのカードに心を打たれているよ。

感動した！ときに使える impressed by と moved by

impressed by ~:「～に感心した」という意味で、特に能力、達成、品質などに関して高い評価や賞賛を表します。

例 I was impressed by her professionalism.
彼女のプロフェッショナリズムに感銘を受けた。

moved by ~:「～に感動した」という意味で、特に感情的な影響や心の動きを強調します。映画や物語、出来事などが心に深く影響を与えた場合によく使います。

例 He was moved by her story.
彼は彼女の話に感動した。

14

Pattern 10

感謝してもし足りない！型

I couldn't have 〜-ed without 〜

〜なしでは〜できなかった

I couldn't have passed the exam without your help.

過去分詞

あなたの手助けなしでは試験に合格できなかったでしょう。

人への感謝を表現するときに使うといい表現です。行動や達成に人の影響が大きかった場合に使い、その人への尊重や認識を示します。

あなたのおかげでうまくいった！心からの感謝のキモチを示したい！と、自分の成功や成果に大きな影響を与えてくれた、相手の貢献に感謝を伝える際によく使います。

自分の能力を適切に評価し、他人の協力あってこそとの見解を示すので、独りよがりにならず、謙虚さを示すことにもなります。

例 I couldn't have made it through the difficult times without your support.

あなたのサポートなしでは困難な時期を乗り越えられなかったでしょう。

→サポートがあったから乗り越えられた！感謝！！

make it through：うまく切り抜ける

例 I couldn't have won the game without your teamwork.

あなたのチームワークなしではゲームに勝てなかったでしょう。

→勝てたのあんたんチームワークのおかげやわ！ 感謝！

Ⓐ Congratulations on completing the project ahead of schedule!

Ⓑ Thank you! I couldn't have done it without your support and the hard work of the team.

ahead of schedule：予定より早く

Ⓐ プロジェクトが予定より早く完了しておめでとう！
Ⓑ ありがとう！あなたのサポートとチームの努力なしではできなかったよ。

Ⓐ Your speech at the conference was impressive.

Ⓑ I appreciate that. I couldn't have delivered it without the guidance from my mentor.

Ⓐ あなたのカンファレンスでのスピーチは印象的でしたね。
Ⓑ 感謝します。私のメンターからの指導なしではできませんでした。

I couldn't have 🏃 -ed without 🍎と thank you for 🍎

I couldn't have 🏃 -ed without 🍎 は、🍎 からの支援や資源なしには成功できなかったことを強調する表現で、深い依存関係や重要性を示します。

Thank you for 🍎 は、より一般的な感謝の表現で、🍎 の行為や好意に対する感謝を伝えます。

🔊 15

Pattern 11

あなたの不安を聞きますよ、の型

What's your biggest fear regarding 🍎?

🍎で一番恐れていることは何ですか

What's your biggest fear regarding your new job?

新しい仕事で一番恐れていることは何ですか？

このフレーズは、気になるトピックへの相手の懸念や不安を聞いて、寄り添いたいときに使います。

いろんな恐れや不安がグルグル頭をめぐって前に進めない人、いますよね。この質問は、その中で一番恐れていることを聞き出すことで、相手の考えを整理してもらい、あなたの共感や解決策を見つけようとする姿勢を示せます。

この質問で、対話をより深いレベルにし、相手の価値観や優先順位を明らかにできます。ただし、この質問は個人的でデリケートな話題に触れるかもしれないので、相手との関係や状況に応じて慎重に使いましょう。

例 What's your biggest fear regarding **the surgery?**
手術で不安なことは何でしょう？

例 What's your biggest fear regarding **the upcoming exams?**
こんどの試験の一番の不安は何ですか？

このような質問は効果的です。なぜなら、相手が持っている最大の懸念や恐怖を尋ねるので、深い対話への導入になります。潜在的な問題やリスクに対して、解決策を提案したり、一緒に考えたりすることへの第一歩になります。

Ⓐ We're going on a camping trip next week. What's your biggest fear regarding the trip?

Ⓑ I guess my biggest fear is that it might rain the whole time.

Ⓐ That's a good point. We should pack some rain gear just in case.

Ⓐ 来週、キャンプ旅行に行こうと思ってる。一番の懸念点は何だろう？
Ⓑ ずっと雨が降り続いてしまわないか、ってことかな。
Ⓐ いい指摘だ。念のために雨具を用意しておこう。

Ⓐ What's your biggest fear regarding your current health condition?

Ⓑ My biggest fear is not being active enough and gaining weight.

Ⓐ I understand. Maybe we can start by finding a fun activity that also serves as exercise.

Ⓐ あなたの現在の健康状態で、何を一番恐れていますか？
Ⓑ 運動不足と体重の増加を恐れています。
Ⓐ 分かります。楽しみながら運動にもなる活動を見つけることから始めましょう。

16

Pattern

12

謝罪のキモチと仲直り希望の型

I apologize if I ◯◯◯-ed～.

◯◯◯ならお詫びします

過去形

I apologize if I broke my promise.

もし私が約束を破っていたら、ごめんなさい。

自分の行動が不適切であったり、誤解を招いたかもしれないと気になったりするときに効果的なフレーズです。

自分の行動の結果、起こってしまったことに責任を感じ、その影響を軽減したいときに使うといいフレーズですね。

相手のキモチや立場を尊重していることを示し、誤解や不快感を解消するための一歩を踏み出しています。このフレーズは、対話を続けるための道を開き、関係を修復したり信頼を再構築したりしてくれます。

hurt は現在形、過去形、過去分詞すべて hurt のままです

例 I apologize if my words **hurt** you.

私の言葉で傷つけてしまったなら、お詫びします。

例 I apologize if I **caused** any confusion.

混乱を招いたなら、お詫びします。

cause は、「<主語>が～の原因となる、～を引き起こす」といった意味で、日本語ではあまり明らかにして話さない因果関係を明確に語る、英語らしい単語です

例 I apologize if I didn't explain myself clearly.
自分の説明が不明瞭だったなら、お詫びします。

Ⓐ I apologize if I forgot to send you the report on time.

Ⓑ It's fine, I managed without it.

Ⓐ I'll make sure it doesn't happen again.

manage without ○：○なしでなんとかする

Ⓐ もし時間通りにレポートを送るのを忘れていたら、申し訳ありません。
Ⓑ 大丈夫です、それなしで対応しました。
Ⓐ 再び起こらないようにします。

Ⓐ You didn't respond to my message yesterday.

Ⓑ I apologize if I seemed uninterested. I was really busy and didn't check my phone.

uninterested：無関心

Ⓐ 昨日、私のメッセージに返信しなかったね。
Ⓑ 無視しているように感じさせてしまったならごめんなさい。本当に忙しくて、携帯をチェックしていませんでした。

I'm sorry と何が違うの？

I apologize if I…は、特定の行動が相手に不快感を与えたかもしれないという可能性に気づき、その行動に対して謝罪するときに使います。フォーマル寄りの表現ですね。

I'm sorry はより直接的で一般的な謝罪の表現で、あらゆる種類の過ちや誤解、不快感を引き起こした場合に使います。カジュアルな状況からフォーマルな状況まで幅広く使えます。

◀)) 17

Pattern 13

凹むキモチと共感をあらわす型

I feel heartbroken about 🍎

🍎に心が痛む

I feel heartbroken about the stray animals in the city.

街の野良動物たちの状況に心が痛みます。

「～に心が痛む」という感覚を英語で表現するときには、このようなフレーズが適しています。深い悲しみや他者への共感を示すのに用いられます。

これらの表現は、自分のツライ思いを率直に語ったり、相手や周りの苦難に深い共感や悲しみを感じていることを伝えたりするのに適しています。

heartbroken は形容詞で、深い悲しみや失望を感じている状態を表します。直訳すると「心が折れた」となり、愛する人との別れ、大切なものの喪失、期待していたことが叶わなかった時など、心に深い傷を負ったり、深く傷ついたりする感情を指します。
この言葉は、単に「悲しい」や「落ち込んでいる」というよりも、もっと強い感情的な苦痛や打撃を受けたときに使います

例 I feel heartbroken about the ending of our friendship.

私たちの友情が終わったことがツライです。

例 I feel heartbroken about the loss of my grandmother.
祖母を失ったことに心が痛みます。

自分のことを語るときは、「心が折れた」「打ちのめされている」ようなつらいキモチを表します。

例 I feel heartbroken about the mistake I made.
自分が犯した過ちに心が折れています。

また、My heart aches for 🍎を使うこともできます。

例 My heart aches for the victims of the disaster.
災害の被害者に心が痛みます。

Ⓐ How have you been since the breakup?

Ⓑ Honestly, I feel heartbroken about the whole thing. I thought we had something special.

Ⓐ 別れてからどう？
Ⓑ 正直言って、その全てのことがツライよ。特別な関係だと思っていたのに。

Ⓐ Did you hear about the recent layoffs at the factory?

Ⓑ Yes, actually my uncle is one of them. I feel heartbroken about him.

Ⓐ 工場での最近の解雇について聞きました？
Ⓑ ええ、実はウチの叔父もその一人で… 彼のことを思うと胸が痛みます。

🔊 18

Pattern 14

かわいそうに、と同情する型

I feel sorry for 🍎

🍎をかわいそうに（気の毒に）思う

I feel sorry for the children who don't have access to education.

教育を受けることができない子どもたちを気の毒に思います。

「をかわいそうに思う」の表現で一般的によく使われます。このフレーズは日常的な会話で広く使い、人の不幸や困難な状況に、同情や憐れみを表現するのに適しています。

「I feel sorry for 🍎」は、さまざまな状況に対する同情や憐れみを表現します。

※I am sorry とは違います！

● I am sorry は自分の過ちに対する謝罪、I feel sorry は他者の不運や困難に対する共感や同情を表します

例 I feel sorry for the tourists who got caught in the bad weather.

悪天候に巻き込まれた観光客たちを気の毒に思います。

get caught in：～に巻き込まれる、ひどい目に遭う

例 I feel sorry for the puppy that can't find its favorite toy.

お気に入りのおもちゃが見付からない子犬をかわいそうに思います。

Ⓐ Did you hear about the layoffs at the factory?

Ⓑ Yes, I feel sorry for those workers. Finding a new job won't be easy.

Ⓐ 工場での解雇のこと聞いた？
Ⓑ ええ、あの労働者たちのことを思うと気の毒で。新しい仕事を見つけるのは簡単じゃないでしょう。

Ⓐ My neighbor's dog passed away yesterday.

Ⓑ That's sad. I feel sorry for her; she really loved Kuro.

pass away：消え去る、（ここでは）亡くなる、死ぬ

Ⓐ お隣の犬が昨日死んでしまったんだ。
Ⓑ それは悲しいね。彼女のことを思うと気の毒だ。本当にクロのことを愛していたから。

I feel sorry for と I feel pity for

feel pity for 🍎 も同様の意味を持ちますが、ややフォーマルな文脈や、より強い憐れみを表現する際に使うことがあります。

例 I feel pity for the injured bird.
ケガをした鳥に同情します。

例 I feel pity for the overworked staff.
過労のスタッフに同情します。

例 I feel pity for the families who lost everything in the flood.
洪水で全てを失った家族たちに同情します。

「feel pity for 🍎」を使って、ある困難な状況に置かれた個人やグループへの同情や憐れみを簡潔に表現しています。

相手がとろける前フリ言葉

This is probably none of my business, but ～.

余計なお世話かもしれないけれど

言おうとしていることが本来は自分に関係のないことであったり自分が口出しすべきではなかったりするなぁと感じつつも、それについてコメントや意見を述べたいときに使います。

例 This is probably none of my business, but are you okay? You seem upset.

私が口出しすることではないかもしれませんが、大丈夫ですか？悲しそうに見えます。

例 This is probably none of my business, but have you talked to your brother about this?

私が口だしすることではないかもしれませんが、この件についてあなたの兄弟と話しましたか？

none of my business という表現は、話し手がその話題は自分が干渉すべきでないと認識していることを示し、デリケートな話題や個人的な事柄について意見を述べる際の礼儀正しい前置きとして使われます。

これによって、あなたが自分の意見が不躾にならないよう注意を払っている姿勢を示すことができます。

そして聞き手は意見を受け入れやすくなります。

（　　）内に入る単語を考えましょう。

25 あなたの優しさとサポートに心を打たれています。

I'm（t　　　）by your kindness and support.

※心を打たれる＝心をそっとなでられる

26 あなたの話を遮ってしまったなら、お詫びします。

I（a　　　）if I interrupted you.

27 海外旅行に関して、何を一番恐れているのでしょう？

What's your biggest（f　　　）regarding traveling abroad?

28 仕事を失ったばかりの友人を気の毒に思います。

I feel（s　　　）for my friend who just lost her job.

29 新しい家に満足しているでしょう。

You（m　　　）be happy with the new house.

※相手はきっとそうじゃないかと話し手が思っている

30 友人の病気のことに心が痛みます。

I（f　　　）heartbroken about my friend's illness.

19

25 I'm touched by your kindness and support.

あなたの優しさとサポートに心を打たれています。

kindness のように、形容詞に「-ness」を付けて名詞を作るパターンは英語によくあります。happiness（形容詞;happy）- 幸福、weakness（形容詞；weak）- 弱さ、darkness（形容詞；dark）- 暗さ。

26 I apologize if I interrupted you.

あなたの話を遮ってしまったなら、お詫びします。

interrupt you は「あなたの話を中断する」という意味です。似たような表現としては、cut you off（あなたの話を遮る）、break in on you（あなたの話に割り込む）、disturb you（あなたを邪魔する）などがあります。

27 What's your biggest fear regarding traveling abroad?

海外旅行に関して、何を一番恐れているのでしょう。

abroad は副詞で、「海外で」や「外国で」という意味です。study abroad（海外留学する）、work abroad（海外で働く）、live abroad（海外に住む）などもよく使いますね。

28 I feel sorry for my friend who just lost her job.

仕事を失ったばかりの友人を気の毒に思います。

lose a job（職を失う）の反義語は get a job（職に就く）や find a job（仕事を見つける）など、仕事を得ることを表す表現になります。

29 You must be happy with the new house.

新しい家に満足しているでしょう。

30 I feel heartbroken about my friend's illness.

友人の病気のことに心が痛みます。

suffer from illness（病気に苦しむ）、diagnose with illness（病気と診断される）、recover from illness（病気から回復する）のように使われます。

（　　）内に入る単語を考えましょう。

31 気候変動に関して、あなたの最大の恐怖は何ですか?

What's your (b　　) (f　　) regarding climate change?

32 そんな長旅の後は疲れているでしょう。

You (m　　) (b　　) tired after such a long trip.

33 あなたのインスピレーションなしではこの作品を制作できなかったでしょう。

I (c　　) have created this artwork (w　　) your inspiration.

※インスピレーションをくれた相手に感謝のキモチを伝えている

34 家族からの愛と世話に心を打たれています。

I'm (t　　) (b　　) the love and care from my family.

35 あなたの時間を取りすぎていたなら、お詫びします。

I (a　　) if I (t　　) too much of your time.

※上司や先生に質問に行って、つい話し込んでしまったときなどに使うと好印象!

36 最近のテロ攻撃の被害者に心が痛みます。

I (f　　) (h　　) about the victims of the recent terrorist attack.

20

31 What's your biggest fear regarding climate change?

気候変動に関して、あなたの最大の恐怖は何ですか？

32 You must be tired after such a long trip.

そんな長旅の後は疲れているでしょう。

such a は形容詞と名詞の間に置かれ、その名詞が持つ特徴や状態を強調します。

33 I couldn't have created this artwork without your inspiration.

あなたのインスピレーションなしではこの作品を制作できなかったでしょう。

Inspiration は名詞で、「ひらめき」「インスピレーション」「刺激」という意味です。形容詞：inspirational（感動的な、鼓舞する）、動詞：inspire（刺激する、鼓舞する）も覚えておきましょう。

34 I'm touched by the love and care from my family.

家族からの愛と世話に心を打たれています。

care from my family の中の care は、「世話」「配慮」「心配り」という意味です。この表現は、家族から受ける支援、愛情、または気づかいを示しています。

35 I apologize if I took too much of your time.

あなたの時間を取りすぎていたなら、お詫びします。

much of your time は「あなたの時間の多く」を意味し、time は可算名詞ではなく不可算名詞です。不可算名詞には much を使い、many は可算名詞に使います。

36 I feel heartbroken about the victims of the recent terrorist attack.

最近のテロ攻撃の被害者に心が痛みます。

(　　)内にどの語を入れるとよいか考えましょう。

37 あなたの指導なしでは車を修理できなかったでしょう。

I (can't have, couldn't have, have) fixed my car without your guidance.

※結局話し手は車を修理できた？できなかった？

38 戦争で苦しむ国々の子供たちに心が痛みます。

I (feel, make, apologize) heartbroken about the children suffering in war-torn countries.

39 大事な点を見落としていたなら、お詫びします。

I (thank, sad, apologize) if I missed an important point.

40 中止になったことにがっかりしているでしょう。

You (will, must, could) be disappointed about the cancellation.

41 締め切りに間に合わせようとするチームの努力に心を打たれています。

I'm (touched, sorry, happy) by the efforts of my team to meet the deadline.

※動詞の後の前置詞に注意！

42 あなたの健康にかかわることで何がいちばん不安ですか？

What's your (first, last, biggest) fear regarding your health?

21

37 I couldn't have fixed my car without your guidance.

あなたの指導なしでは車を修理できなかったでしょう。

38 I feel heartbroken about the children suffering in war-torn countries.

戦争で苦しむ国々の子供たちに心が痛みます。

war-torn countries は「戦争で荒廃した国々」という意味です。戦争によって大きな被害を受けたり、社会的・経済的に混乱している国々を指します。

39 I apologize if I missed an important point.

大事な点を見落としていたなら、お詫びします。

miss a point は「要点を見逃す」や「ポイントを理解しない」という意味の表現です。反義語としては、get the point（要点を理解する）や understand the point（ポイントを理解する）などがあります。

40 You must be disappointed about the cancellation.

中止になったことにがっかりしているでしょう。

41 I'm touched by the efforts of my team to meet the deadline.

締め切りに間に合わせようとするチームの努力に心を打たれています。

meet the deadline は、「締め切りに間に合わせる」、「締切を守る」という意味です。反対の意味としては、miss the deadline があります。

42 What's your biggest fear regarding your health?

あなたの健康にかかわることで何がいちばん不安ですか？

(　　)内の語を入れ替えて正しい文を作りましょう。

43 あなたのレシピなしではこんなに美味しい食事を準備できなかったでしょう。

I （can't / without / prepared / such / have / a delicious meal） your recipe.

44 あなたの貢献を見過ごしていたなら、お詫びします。

※見過ごす＝overlook を誰がした？

I （apologize / overlooked / I / if / your / contribution）.

45 これらの指示で混乱しているでしょう。

（must / confused / with / you / be） all these instructions.

46 ケガで大会に参加できなかった選手たちを気の毒に思います。

※誰が誰を気の毒に思っている？

（ for / sorry / I / the athletes / participate / feel / who / couldn't ） in the tournament due to injury.

47 手術に関して、一番恐れていることは何ですか？

（regarding / your / biggest / fear / what's / the surgery）?

48 受け取った励ましのメッセージに心を打たれています。

（I'm / encouragement / by / the messages / of / touched） I've received.

22

43 I couldn't have prepared such a delicious meal without your recipe.

あなたのレシピなしではこんなに美味しい食事を準備できなかったでしょう。

meal は、食事全体を指します。dish は、一つの料理や料理の一品を指します。dish は meal の一部分として使われることがあります。

44 I apologize if I overlooked your contribution.

あなたの貢献を見過ごしていたなら、お詫びします。

「overlook」は動詞で何か重要なことや詳細を見逃す、または気づかないという意味です。

45 You must be confused with all these instructions.

これらの指示で混乱しているでしょう。

46 I feel sorry for the athletes who couldn't participate in the tournament due to injury.

ケガで大会に参加できなかった選手たちを気の毒に思います。

47 What's your biggest fear regarding the surgery?

手術に関して、一番恐れていることは何ですか？

48 I'm touched by the messages of encouragement I've received.

受け取った励ましのメッセージに心を打たれています。

the messages of love（愛のメッセージ）、the messages of hope（希望のメッセージ）、the messages of condolence（哀悼のメッセージ）、the messages of gratitude（感謝のメッセージ）のように the messages of を使うことができます。

Chapter 3

ワクワク、ポジティブなキモチを伝える

23

Pattern 15

ワクワクをオープンにする型

I feel like 〇〇ing〜

〇〇したい気分です

I feel like watching a movie.

映画を観たい気分です。

このフレーズを使うと、その瞬間に湧き上がった気分や欲求を直接的に伝えることができます。この表現は、自分の内側からのモチベーションを基にした行動の意欲を示しています。

このような表現は、自分のキモチや欲求をオープンにし、周りの人との共感や理解を深めることができます。

「何をしたいか」ではなく、「何をする気があるか」を伝えることで、よりリラックスした、圧力のないコミュニケーションを促します。

例 I feel like going for a run.
走りに行きたい気分です。
→一緒に走りに行きませんか or 走りに行きたいので止めないでください

例 I feel like trying something new.
新しいことに挑戦したい気分です。

例 I feel like eating something sweet.
何か甘いものを食べたい気分です。

例 I feel like taking a day off.
休暇を取りたい気分です。

例 I feel like calling my dad.
お父さんに電話をしたい気分です。

Ⓐ What do you want to do this weekend?

Ⓑ I feel like going hiking. It's been a while since we were out in nature.

it's been a while since ～：久しぶりに～する

Ⓐ この週末、何をしたいですか？

Ⓑ ハイキングに行きたい気分です。自然の中に出るのは久しぶりですね。

Ⓐ Are you hungry? What do you want for dinner?

Ⓑ I feel like eating sushi tonight. How about we order some?

Ⓐ お腹空いた？ 夕食に何が食べたい？

Ⓑ 今夜は寿司が食べたい気分。注文しない？

I feel like 〜ing と I want to 〜

I feel like 〜ing はそのときの気分に基づく軽い欲求を、
I want to 〜はより具体的で強い意志や願望を表現するときに使います。

例 I feel like going hiking.　（ちょっとハイキングに行きたいです。）
例 I want to climb Chomolungma someday.　（いつかチョモランマに登りたい。）

🔊 24

Pattern 16

待ちきれない！想いを伝える型

I can't wait to 〜.

するのが待ちきれません

I can't wait to see you.

あなたに会うのが待ちきれない。

「〜するのが待ちきれない」というキモチを英語で表現する場合、このフレーズが一般的です。これから起こることに強い期待や興奮を感じている状況を示します。

何か楽しみにしている出来事や体験に対して、強い期待を持っていることを表します。これから起こることや経験することへの興奮や熱意を示しています。

例 I can't wait to go on vacation.
休暇に行くのが待ちきれない。

例 I can't wait to try the new restaurant.
新しいレストランを試すのが待ちきれない。

このフレーズは将来に起きる出来事や体験に対する前向きで楽観的な見方を反映しています。

予定されている活動や出来事から得られる満足感や喜びを期待していることを示します。

例 I can't wait to graduate and start my career.
卒業してキャリアをスタートするのが待ちきれない。

I can't wait to 🏃は、話し手が何かに非常に興味を持っていて、そのことが起こることを心から楽しみにしている状態を伝えるのに使います。

例 I can't wait to travel again.
再び旅行するのが待ちきれない。

Ⓐ I'm going back to my parents' house.

Ⓑ Really? For how long will you stay?

Ⓐ Just for the weekend. I can't wait to see Pochi, my cute dog.

Ⓑ That's lovely! Dogs always make everything better. Give Pochi a pat for me!

for me で「私の代わりに」「私のためにも」といった感じを出しています

give 🍎 a pat：🍎をなでる

Ⓐ 実家に帰るんだ。
Ⓑ 本当？ どれくらい滞在するの？
Ⓐ 週末だけだよ。
かわいい犬のポチに会えるのが待ちきれないな。
Ⓑ それは素敵だね！犬って本当に全てを良くしてくれるよね。ポチになでなでしてあげてね！

🔊 25

Pattern 17

誘惑に負けそうなときの自虐型

can't resist 🏃 ing

🏃せずにはいられない

I can't resist eating chocolate when I'm on a diet.

ダイエット中でも、チョコレートを食べるのは我慢できない。

「～するのを我慢できない」ということを表現するときに使える表現です。強い誘惑や衝動に抗えずに行動してしまう状況を表します。

resist は、「抵抗する」や「我慢する」という意味を持ちます。

can't	resist	🏃ing	
できない	抵抗する	🏃すること	→🏃するのを我慢できない ＝🏃せずにはいられない

この構造では、主語にあたる人が何かの行為（この例ではチョコレートを食べること）に抵抗できないことを示しており、通常は強い誘惑や欲求が関連しています。

この表現は日常会話でよく使われ、特に食べ物、買い物、娯楽活動など、さまざまな誘惑の文脈で見られます。

例 I can't resist taking pictures of beautiful sunsets.

美しい夕日を見ると、写真を撮らずにはいられません。

例 They can't resist spending money on luxury items.

彼らは高級品にお金を使わずにはいられない。

Ⓐ Do you want to join me for a jog later?

Ⓑ Sorry, I can't resist staying in and watching my favorite TV show tonight.

Ⓐ 後でジョギングに一緒に行かない？
Ⓑ ごめん、今夜はお気に入りのテレビ番組を家で見ずにはいられないんだ。

Ⓐ How's your diet going?

Ⓑ Not great. I couldn't resist having a slice of cake at the office today.

Ⓐ ダイエットはどう進んでるの？
Ⓑ あまり良くないよ。今日もオフィスでケーキを一切れ食べずにはいられなかった。

似てるけどちょっと違う表現　can't help ing:

can't help ing は「〜せずにはいられない」という意味で、自分の意志とは無関係に、自然とその行動をしてしまう状況を表します。しばしば、抑制できない感情や反射的な反応を示すのに使われます。

I can't help smiling when I see her.

彼女を見ると、つい笑顔になってしまう。

「can't help ing」はより無意識的な反応や感情的な反応を示し、
「can't resist ing」は意識的な選択や誘惑に屈することを示します。

どちらも抗えない行動を表すものの、前者は感情的な自然な反応、後者は誘惑に対する意識的な屈服を示しています。

26

Pattern 18

ワクワク大興奮！をあらわす型

I'm thrilled to 🏃.

🏃することにワクワクしています

I'm thrilled to start my new job next week.

来週から新しい仕事を始めるので、
とてもワクワクしています。

「〜に非常に興奮している」という意味の表現です。これは、これからすることに大きな喜びや期待を感じていることを示します。

何かの出来事や体験に感じている強い喜びや興奮を表します。非常に興奮したり、喜んでいたり、強い前向きなキモチを持っているときに使います。日本語の「スリル」は、ハラハラ怖いイメージが強いですが、I'm thrilled to 🏃は「緊張を楽しみながら感じている」ワクワクドキドキなキモチを伝えます。

大きな期待と興奮：新しい経験、機会、挑戦を楽しみにしているとき。
感謝と幸福：何か特別なことが起こったり、願いが叶ったりしたとき。
充実感と達成感：目標や願望を達成できたと感じたとき。
強い熱意と情熱：好きな活動や興味のあることに取り組むとき。

例 I'm thrilled to be part of this team.
このチームの一員になれて非常に嬉しいです。

例 I'm thrilled to have the opportunity to work with you.
あなたと一緒に働く機会を得られて大変嬉しいです。

単に喜んでいるだけでなく、その喜びが強くてエネルギッシュであることを示すことができます。

Ⓐ I'm going on a trip to Europe this summer.

Ⓑ I'm thrilled to hear that! Have you planned where to visit?

Ⓐ 今年の夏はヨーロッパに旅行に行くんだ。
Ⓑ それを聞いてとても嬉しい！どこに行くかもう計画した？

Ⓐ I heard you're starting a cooking class.

Ⓑ Yes, I'm thrilled to be sharing my passion for cooking with others.

Ⓐ 料理教室を始めるって聞いたよ。
Ⓑ ええ、料理への情熱を他の人と共有できることにとても興奮しています。

進行形にすると、まさに今そうしようというタイミングを迎えている感じを伝えられます。
その機会が「今ある」感じです。

Ⓐ You're going to be leading the new project at work, right?

Ⓑ Yes, I'm thrilled to be taking on this challenge. It's a great opportunity.

take on challenge：挑戦する

Ⓐ 職場で新しいプロジェクトを率いることになったんだよね？
Ⓑ はい、この挑戦を引き受けられて本当に嬉しいです。素晴らしい機会です。

長期的な役割であれば You're going to be leading the project、単発的な会議やイベントでリーダーを務める予定であれば You're going to lead the meeting と言うことが適切です。

27

Pattern 19

ホントいいよね、羨ましいの型

I'm so jealous that ▢▢▢ / of 🍎

▢▢▢だなんて羨ましい

I'm so jealous that you got tickets to the concert.

そのコンサートのチケットを手に入れたなんて、羨ましいわぁ。

「▢▢▢だなんて羨ましい！」というキモチを英語で表現する場合は、このようなフレーズが適しています。明るく言いましょう！

これらの表現は、人の幸運や良い経験を羨ましく感じるキモチを伝えるのに役立ちます。羨望や嫉妬という、ある意味では負の感情でも、明るく口にすることで相手を褒める、持ち上げるキモチが伝わるでしょう。

例 I'm so jealous of your cooking skills.

あなたの料理の腕前が羨ましいよ。　→尊敬するわー

例 I'm so jealous you got a promotion at work.

昇進したなんて、羨ましい。　→昇進よかったね

I'm so jealous of 🍎と I'm so jealous that ▢▢▢

of を使う場合は通常、具体的な名詞が続き、that を使う場合は、完全な文が続きます。どちらも羨望の感情を表現するために使われますが、文脈に応じて適切な接続詞を選ぶ必要があります。

ココが羨ましい対象

例 I'm so jealous of **your new phone**.

あなたの新しい電話が羨ましいわぁ。

ココが羨ましい対象

例 I'm so jealous that **you're going on a world trip**.

あなたが世界旅行に行くなんて羨ましいな。

Ⓐ Have you seen Risa's new designer handbag?

Ⓑ Yes, I'm so jealous of her. It's gorgeous!

Ⓐ リサの新しいデザイナーズハンドバッグ見た？

Ⓑ うん、彼女のことが羨ましい。すごく素敵だよね！

Ⓐ Did you hear about Kevin? He's moving to Hawaii.

Ⓑ Really? I'm so jealous that he gets to live in paradise!

Ⓐ ケビンのこと聞いた？ハワイに引っ越すんだって。

Ⓑ 本当？彼が楽園で暮らせるなんて羨ましいな！

似た意味のことば　is so enviable

That you're going on a vacation to Hawaii is so enviable.

あなたがハワイに休暇に行くなんて、羨ましいや。

28

Pattern 20

癒やされるわーの型

I'm soothed by 🍎.

🍎に癒やされます

I'm soothed by a long walk in the park after a stressful day at work.

仕事でストレスがたまった一日の後、
公園での長い散歩に癒されます。

仕事などのストレスで疲れたときに感じる精神的な癒しを表現するのに最適な表現は be soothed by 🍎です。

このフレーズは、ストレスや緊張が和らげられる、ほっこりした感覚に特に焦点を当てています。I'm soothed by 🍎を使って、どのようなものがリラックスやストレス解消に役立つかを表現することができます。

例 I'm soothed by petting my dog.
私は犬をなでることで落ち着きます。

例 I'm soothed by the warmth of a cozy blanket.
居心地の良い毛布の暖かさに癒されます。

例 I'm soothed by the melodies of classical music.
クラシック音楽のメロディーに癒されます。

Ⓐ How do you manage stress after a long day at work?

Ⓑ I'm soothed by taking a long bath. It helps me relax and clear my mind.

Ⓐ 長い一日の仕事の後、どうやってストレスを管理してるの？
Ⓑ 長風呂に入ると癒されるんだ。リラックスして頭をクリアにするのに役立つよ。

Ⓐ I always see you with headphones on during breaks. What do you listen to?

Ⓑ I'm soothed by listening to nature sounds. It's really calming.

Ⓐ 休憩中にいつもヘッドフォンをしているよね。何を聞いてるの？
Ⓑ 自然の音を聞くと癒されるんだ。本当に落ち着くよ。

似た意味のことば find comfort in 🍎

find comfort in 🍎 ”もストレスや疲れたときに使える表現で、心の安らぎや安心感を得ることを意味します。

㊑ I find comfort in a warm cup of tea and a good book.
温かいカップのお茶と良い本に癒やされる。

相手がとろける前フリ言葉

after all,

何だかんだゆーても

After all は、「結局のところ」と結果や結論を強調するときによく使う表現です。このフレーズは、話の最後に来ることが多いですね。

予想と異なる結果や行動に対して。

He decided to stay, after all.（結局、彼は残ることにした。）

議論や話の流れの中で、最終的な判断や結論を示す際に。

You were right, after all.（結局、あなたの言う通りだった。）

I knew you would win the game, after all.
結局のところ、あなたがそのゲームに勝つとわかっていたよ。

初めは結果が不確かであったかもしれないが、結局は予想通りになった

After all, it was just a misunderstanding.
結局のところ、それはただの誤解だった。

After all, the trip wasn't as expensive as I thought.
結局のところ、その旅行は私が思っていたほど高くなかった。

Ⓐ I thought you were going to buy a new car.

Ⓑ I was, but after all, I realized my old car still works fine.

Ⓐ新しい車を買うと思っていたよ。
Ⓑそうだったんだけど、結局のところ、今の車でも十分機能していることに気づいたんだ。

(　　　)内に入る単語を考えましょう。

49 ヨーロッパ旅行に行くなんて、羨ましいわぁ。

I'm so (j　　　) you're going on a trip to Europe.

※(　　)の後にthatが省略されています

50 ヨガクラスに参加することに興奮しています。

I'm (t　　　) to be joining the yoga class.

51 新しいカメラを試すのが待ちきれない。

I can't (w　　　) to try out my new camera.

52 晴れた日には海に行かずにはいられません。

I can't (r　　　) going to the beach on a sunny day.

※海へ行くという誘惑に抵抗できない

53 静かな庭の平和さに癒されます。

I'm (s　　　) by the peacefulness of a quiet garden.

54 本を読みたい気分です。

I (f　　　) like reading a book.

29

49 I'm so jealous you're going on a trip to Europe.

ヨーロッパ旅行に行くなんて、羨ましいわぁ。

go on の意味は「行く」「進む」「続ける」ということです。go on a diet（ダイエットを始める）でも使われますね。

50 I'm thrilled to be joining the yoga class.

ヨガクラスに参加することに興奮しています。

51 I can't wait to try out my new camera.

新しいカメラを試すのが待ちきれない。

try out は「試す」「試用する」を意味し、新しいものやアイデアを実際に使用してみることを表します。

52 I can't resist going to the beach on a sunny day.

晴れた日には海に行かずにはいられません。

53 I'm soothed by the peacefulness of a quiet garden.

静かな庭の平和さに癒されます。

fullness は「満ちている状態」「充実」を意味します。これを使う単語は thoughtfulness（思いやり）、cheerfulness（明るさ）、carefulness（慎重さ）など多くあります。

54 I feel like reading a book.

本を読みたい気分です。

a book の部分を具体的にするには、本のジャンルや特定のタイトルを追加するといいでしょう。 a science fiction novel（SF小説）、a biography（伝記）、a poetry collection（詩集）、a cookbook（料理本）など。

(　　　)内に入る単語を考えましょう。

55 彼はいつも冗談を言わずにはいられない。

He (c　　　) (r　　　) making jokes all the time.

56 このチームの一員になれて非常に嬉しいです。

I'm (t　　　) (t　　　) be part of this team.

※非常に嬉しい＝とても興奮している

57 結局のところ、私は自分の仕事が好きです。

(A　　　) (a　　　), I enjoy my job.

※このフレーズの前に大変さとかやり甲斐とかいろいろ話していたのでしょう

58 イタリア料理を作りたい気分です。

I (f　　　)(l　　　) cooking Italian.

59 あなたの新しい車が羨ましい。すごくきれい！

I'm (s　　　) (j　　　) of your new car; it's beautiful!

60 あなたの新しい本を読むのが待ちきれない

I (c　　　) (w　　　) to read your new book.

30

55 He can't resist making jokes all the time.

彼はいつも冗談を言わずにはいられない。

「all the time」は、日本語で「常に」「いつも」「絶えず」といった意味になります。

56 I'm thrilled to be part of this team.

このチームの一員になれて非常に嬉しいです。

be part of は be part of this project（このプロジェクトの一員であること）、be part of the winning team（勝利チームの一員であること）のように一員であることという意味を作ります。

57 After all, I enjoy my job.

結局のところ、私は自分の仕事が好きです。

58 I feel like cooking Italian.

イタリア料理を作りたい気分です。

59 I'm so jealous of your new car; it's beautiful!

あなたの新しい車がうらやましいわ。すごくきれい！

60 I can't wait to read your new book.

あなたの新しい本を読むのが待ちきれない。

(　　　)内にどの語を入れるとよいか考えましょう。

61 あなたと一緒に働く機会を得られて大変嬉しいです。

I'm （worry, thrilled, exiting) to have the opportunity to work with you.

62 今週末、友達に会うのが待ちきれない。

I can't (get, want, wait） to meet my friends this weekend.

63 今日は寝坊したい気分です。

I （am, feel, run） like sleeping in today.

※何となくそんなキモチ、のときありますね

64 彼女は数分ごとに携帯をチェックせずにはいられない。

She （can't, don't, sholudn't） resist checking her phone every few minutes.

※連絡を首を長くして待っているのでしょう。抵抗できない！

65 私の好きな作家に会えたなんて、うらやましいわ。

I'm so （jealous, happy, good） you met my favorite author.

66 窓に当たる雨の音に癒されます。

I'm （clear, warm, soothed） by the sound of rain against my window.

31

61 I'm thrilled to have the opportunity to work with you.

あなたと一緒に働く機会を得られて大変嬉しいです。

opportunity と chance はどちらも「機会」という意味を持つ名詞ですが、opportunity は、よりポジティブな意味合いで使われることが多いです。

62 I can't wait to meet my friends this weekend.

今週末、友達に会うのが待ちきれない。

63 I feel like sleeping in today.

今日は寝坊したい気分です。

sleep in は、「寝坊する」という意味です。

64 She can't resist checking her phone every few minutes.

彼女は数分ごとに携帯をチェックせずにはいられない。

every couple of hours（数時間ごとに）、every now and then（時々）、every once in a while（ときどき）、every other day（一日おきに）のように every は頻度を表す表現によく出てきます。

65 I'm so jealous you met my favorite author.

私の好きな作家に会えたなんて、羨ましいなぁ。

author は「著者」や「作家」という意味ですが、singer、artist、athlete、actor などに置き換えてもいいでしょう。

66 I'm soothed by the sound of rain against my window.

窓に当たる雨の音に癒されます。

against は前置詞で、この文脈では「～に対して」や「～に当たって」という意味で使われています。

(　　)内の語を入れ替えて正しい文を作りましょう。

67 プロジェクトの結果がどうなるか見るのが待ちきれない。

(how / wait / I / can't / see / to) the project turns out.

※メインの動詞はwait と see どちらでしょう

68 彼女は良い本を読み始めると、夜遅くまで読まずにはいられないんだ。

(reading / she / book / a / can't / good / resist) till late at night.

69 複数の言語を話せるなんて、羨ましいこと。

(ability / I'm / so / of / jealous / your) to speak multiple languages.

※あなたが羨ましい、いいですね、と言っています

70 夜の都市の穏やかなざわめきに癒されます。

(by / soothed / gentle hum / the / I'm) of the city at night.

71 プロジェクトを成功裏に完了したことを発表できて大変嬉しいです。

I'm (we've / announce / thrilled / that / to / completed) the project successfully.

72 結局のところ、始めるには遅すぎない。

(late / all, / too / not / it's / after / to / start) .

※〜するのに〇〇し過ぎることはない

32

67 I can't wait to see how **the project turns out.**

プロジェクトの結果がどうなるか見るのが待ちきれない。

turn out は、「結果となる」という意味です。この文では、プロジェクトがどのような結果になるかを楽しみにしているという意味になります。

68 She can't resist reading a good book **till late at night.**

彼女は良い本を読み始めると、夜遅くまで読まずにはいられないんだ。

69 I'm so jealous of your ability **to speak multiple languages.**

複数の言語を話せるなんて、羨ましいこと。

your ability to work under pressure（プレッシャーの下で働く能力）、your ability to lead a team（チームをリードする能力）、your ability to think critically（批判的に考える能力）

70 I'm soothed by the gentle hum **of the city at night.**

夜の都市の穏やかなざわめきに癒されます。

hum は名詞で、「ブーン」というような低く連続的な音、またはざわめきという意味です。

71 I'm thrilled to announce that we've completed **the project successfully.**

プロジェクトを成功のうちに完了したことを発表できて大変嬉しいです。

現在完了形が使われているので、時間をかけてやっと終わった達成感や安堵が伝わります。

72 After all, it's not too late to start.

結局のところ、始めるには遅すぎない。

Chapter 4

悩みや不安を率直に話す

33

Pattern 葛藤や迷いをあらわす型

21 I'm wavering on ～ing

～するかどうか迷ってる

I'm wavering on doing volunteer work abroad.

海外でボランティア活動をするかどうか迷っています。

何かの行動をするかどうかモヤモヤ考えたり決断に至るまでの迷いを表現するフレーズが「wavering on ～ing ~」です。

２つ以上の選択肢があって、どちらを選ぶか決めかねている状況に使います。ぐだぐだ考えてパッと選べない、モヤモヤするキモチを伝えるのに有効な言い回しです。

例 I'm wavering on choosing tea or coffee.
紅茶とコーヒーのどちらを選ぶか迷っています。

Ⓐ Are you going to join the photography class?

Ⓑ I'm wavering on joining. I'm interested, but it's quite expensive.

Ⓐ 写真のクラスに参加するつもり？
Ⓑ 参加するかどうか迷っているんだ。興味はあるけど、かなり高額だからね。

Ⓐ Have you decided to take the job offer in London?

Ⓑ Actually, I'm wavering on doing it. The offer is great, but I'm not sure about living so far from family.

Ⓐ ロンドンの仕事のオファーを受けることに決めたの？
Ⓑ 実は、それについて迷っているんだ。オファーは素晴らしいけど、家族から遠く離れて暮らすことについて確信が持てなくて。

hesitating to と wavering on ing

似た表現に「hesitating to 」がありますが、使われる文脈によって微妙な違いがあります。

hesitating to は、行動を起こす直前のためらいや躊躇を示します。状況がハッキリしなかったり、リスクが伴ったりするとき、あるいは自信がないときに使われることが多いです。

She is hesitating to call her friend about the sensitive matter.
彼女はデリケートな問題について友人に電話することをためらっています。

wavering on ing ~ は、モヤモヤ長いこと迷ったり悩んだりして、決断を下す前のドキドキしたキモチを指します。2つ以上の選択肢の間で心が揺れ動いている状態や、決定に至るまでの不確実性を表します。

He is wavering on quitting his job.
彼は仕事を辞めるかどうか心が揺れ動いています。

要するに、「hesitating to do ~」は具体的な行動を起こす直前の瞬間的な躊躇を表し、「wavering on doing ~」はより長い期間にわたる決断の不確実性や心の動揺を示します。

34

Pattern

22 やっちまった！の反省の型

I should have 〜ed

〜すべきだったのに

過去分詞

I should have studied more for the exam.

試験のためにもっと勉強すべきだった。

←のに、勉強せぇへんかったから失敗した…

「I should have」は、過去に取らなかった行動に対する後悔や反省を伝えます。過去の別の決定や行動がより良かったかも…と後悔するときに使います。

このフレーズは、反省のプロセスの一環として、または過去の経験から学んだ教訓を認識する際に使います。後悔を口にすることで、自分の過ちを認め、それから成長しようとする姿勢を示せます。

例 I should have listened to your advice.

あなたのアドバイスを聞くべきだった。

（のに、聞けへんかったから失敗した…）

> I should have studied は過去の完了形を使って、過去に行うべきだった行動について、実際にはその行動を取らなかったことを示しています。もし I should study だったら、現在形で、今またはこれから行うべき行動について述べます。

例 I should have apologized earlier.

もっと早く謝るべきだった。（のに、謝らへんかった…）

また、このような表現は、人とコミュニケーションをとるときの謙虚さや自己認識の高さを表すことにもなり、相手との信頼関係を深められます。

Ⓐ I missed the deadline for the job application.

Ⓑ That's too bad. You should have started preparing earlier.

Ⓐ You're right. I should have planned better.

Ⓐ 求人応募の締め切りを逃してしまいました。
Ⓑ それは残念ですね。もっと早く準備を始めるべきでしたね。
Ⓐ その通りです。もっとちゃんと計画を立てるべきでした。

You should have 〜ed

I should have は〜ed は話し手自身の過去の行動について後悔や、過去において異なる選択をすべきだったという反省を表します。
一方で You should have 〜ed は相手の過去の行動について評価や助言をする際に使います。相手の行動に対する批評や、もっと良い結果を得るために異なる選択をすべきだったという指摘を含みます。

Ⓐ I had a disagreement with my friend last night.

Ⓑ What happened?

Ⓐ I think I was too harsh. I should have been more understanding.

Ⓑ Well, it's never too late to apologize and make things right.

Ⓐ 昨夜、友達と意見が合わなかったんだ。
Ⓑ どうしたの？
Ⓐ 僕が少し厳しすぎたみたい。もっと理解ある態度をとるべきだった。
Ⓑ まぁ、まだ謝って事を正すのに遅すぎることはないよ。

Pattern 23

シちゃいけなかったのに…の型

I shouldn't have 〇-ed
〇すべきじゃなかったのに

過去分詞

I shouldn't have yelled at you.

あなたに怒鳴るべきではなかった。
←のに、怒鳴ってしまった…

「あんなことすべきではなかった」という表現は、過去の行動に後悔や自己批判を感じていることを表現する際に使います。

「やってしまった」過去の行動や決断を後悔していて、違う選択をすべきだったと感じていることを言葉にする表現です。

自分の行動を反省し、そんな自分に批判的である姿勢を示します。過去の過ちから学び、将来はより良い選択をすることを意図しています。

例 I shouldn't have taken the car without asking.
許可を得ずに車を使うべきではなかった。
（のに、使ってしまった…）

自分達のことを反省する場合は下のように主語を we にすればいいでしょう。

例 We shouldn't have ignored the warning signs.
警告のサインを無視すべきではなかった。
（のに、無視してしまった…）

「すべきではなかった」を使うことで、話し手は過去の行動に対する反省や、その時点で違う選択をすべきだったという認識を示しています。これは自己批判や学びの機会として使用されることが多い表現です。

Ⓐ You don't look well. Are you okay?

Ⓑ I shouldn't have had that second piece of cake. I feel so full now.

Ⓐ 元気なさそうだね。大丈夫？
Ⓑ あのケーキを２切れも食べるべきじゃなかった。今、すごくお腹いっぱいだ。

Ⓐ Why do you seem so upset?

Ⓑ I shouldn't have rushed this morning. I forgot some important documents at home.

Ⓐ どうしてそんなに動揺してるの？
Ⓑ 今朝、急ぐべきではなかった。大切な書類を家に忘れてきてしまったんだ。

心理学的に見た I should have done と I shouldn't have done

短期的に見ると、I shouldn't have done（してしまった）後悔は、しばしば I should have done よりも心理的に重いと感じられることがあります。これは、実際に行った行動が負の結果を引き起こした場合、その結果の直接的な責任を感じるためです。対照的に、I should have done は行動しなかったことに対する後悔であり、何かを失った可能性に対するものですが、行動による直接的な負の結果が伴うわけではありません。ただ、長期的な視点で考えると、「やらなかったこと」への後悔が「やってしまったことへの後悔」より大きく感じるようになるという研究結果もあります。

36

Pattern 24

ツライわ…の型

It's too painful [that ○○○ / to (動作)]

○○○だなんて／(動作)のはツラすぎる

It's too painful that we have to be apart.

私たちが離れ離れにならなければならないのはツラすぎる。

「～だなんてツラすぎる」というキモチを英語で表現する場合は、"It's too painful ~" が適しています。何かに強い悲しみや苦痛を感じている状況を示すのに使います。

painfulは「痛い / ツラい」を意味します。このパターンでは、人ではなくitを主語にするので注意しましょう。

It's too painful to (動作) : ―――――

このパターンでは、「to」の後に動詞の原形が続きます。何かの行動をすることがすごくツラいことを意味します。

例 It's too painful to talk about it.
それについて話すのはツラすぎる。

例 It's too painful to remember our last conversation.
私たちの最後の会話を思い出すのはツラすぎる。

It's too painful that ＿＿＿ : ―――――――――

こちらでは、「that」の後に完全な文が続きます。この表現は、何かの事実や状況がすごくツラいことを意味します。

例 It's too painful that we have to say goodbye.
お別れをしなければならないのはツラすぎる。

例 It's too painful that our favorite restaurant is closing down.
お気に入りのレストランが閉店するのはツラすぎる。

どちらの構造もキモチのツラさを表現する際に有効ですが、使い分けは文の意図によりますね。

Ⓐ Have you spoken to Tomomi since she moved away?

Ⓑ No, it's too painful to even think about calling her. I miss her a lot.

Ⓐ 友美が引っ越してから彼女と話した？
Ⓑ いや、彼女に電話すると考えることさえツラすぎる。すごく寂しいよ。

Ⓐ Why do you look so sad today?

Ⓑ It's too painful to think about my childhood home being torn down. It was full of memories.

Ⓐ 今日はどうしてそんなに悲しそうなの？
Ⓑ 子ども時代の家が取り壊されたのがツラすぎて。思い出がいっぱいだったんだ。

Pattern 25

ほんまに!? ヤバいわーの型

I'm appalled by 🍎

🍎に驚愕しています

I'm appalled by the news.

そのニュースには驚いています。

何かに対して強くショックを受けたり、非常に不快感を覚えたりしたときに I'm appalled by 🍎を使います。

このパターンは特に道徳的、倫理的、または社会的に受け入れがたい行動や状況に対する強い驚きや憤りを示すのに適しています。

例 I'm appalled by the level of pollution in the city.
市内の汚染レベルに驚愕しています。

例 I'm appalled by their lack of respect.
彼らの敬意のなさには驚いています。

例 I'm appalled by the poor customer service.
ひどいカスタマーサービスに驚いています。

Ⓐ Have you seen the state of the park lately?

Ⓑ Yes, I'm appalled by all the litter. It used to be so clean.

Ⓐ 最近、公園の様子を見た？

Ⓑ ええ、ごみの多さに驚いています。以前はとてもきれいだったのに。

Ⓐ What did you think of the team's performance last night?

Ⓑ I'm appalled by how poorly they played. They need better training.

Ⓐ 昨夜のチームのパフォーマンスをどう思う？

Ⓑ 彼らがどれだけひどくプレーしたかには驚愕してる。もっと良いトレーニングが必要だね。

「驚き」のちがい disppointed と shocked

I'm appalled by

深い嫌悪感や強い不快感を感じることを表します。道徳的、倫理的に受け入れがたい行為や状況に対して使うことが多いです。

I'm disappointed

期待や希望が裏切られたときに感じる悲しみや失望を表します。物事が思い通りにいかなかったときに使います。

I'm shocked

予期せぬ出来事や驚くべき状況に直面したときの衝撃や驚きを表します。この表現は、予想外のニュースや出来事に対する反応を示す際に用います。

これらの違いを理解することは、英語での感情の正確な表現に役立ちます。「I'm appalled by」は道徳的な非難を含む嫌悪感、「I'm disappointed」は失望や期待の裏切り、「I'm shocked」は予期せぬ出来事に対する強い驚きや衝撃をそれぞれ表しています。

38

Pattern 26 ヤキモキする型

I feel anxious about 🍎

🍎に不安を感じています

I feel anxious about my upcoming job interview.

これからある仕事の面接が心配です。

「～にヤキモキする」という感情を英語で表現するときは、feel anxious about 🍎がしっくり来ます。

feel anxious about 🍎 は「不安を感じる」という意味で、一般的に内面的な感情の深い不安や心配を表します。

特に精神的な不安やストレスが強い場合に使うことが多いです。

例 I feel anxious about the health of my parents.
両親の健康について不安を感じています。

例 I feel anxious about traveling alone for the first time.
初めて一人旅するのが心配です。

Ⓐ Are you ready for your presentation tomorrow?

Ⓑ Not really, I feel anxious about speaking in front of so many people.

Ⓐ 明日のプレゼンテーションの準備はできてる？
Ⓑ ううん、あまり…　そんなに多くの人の前で話すことについて不安で…

Ⓐ How's your sister doing with her college applications?

Ⓑ She's okay, but I feel anxious about her getting into her top choice school.

do with：どうにかする

Ⓐ 妹さんは大学の出願でどうしてるの？
Ⓑ 彼女はまあまあだけど、私は彼女が第一志望の学校に入れるかどうか心配だよ。

いろんな心配　worry about 🍎と be uneasy about 🍎

worry about 🍎

worry about 🍎 は「心配する」という意味で、より広範な用途に使う表現です。日常的な心配事から深刻な問題まで、さまざまな状況で使用されます。

She worries about her health.
　彼女は自分の健康を心配しています。

be uneasy about 🍎

be uneasy about 🍎は「不安である」という意味で、主に心の中にある軽い不安やキモチの落ち着かなさを表します。具体的な深刻な心配よりも、漠然とした不安感や違和感に使われることが多いです。

We are uneasy about the changes happening in the company.
　会社で起きている変化について不安を感じています。

これらの表現は、心配や不安の程度や性質に応じて選ぶことで、感情をより正確に伝えることができます。

🔊39

Pattern

もうウンザリ！な型

27 I'm fed up with 🍎

🍎にうんざりしています

I'm fed up with his excuses every time.

彼の毎回の言い訳にうんざりしてる。

繰り返し起こるイライラする状況や問題に対して、強い不満や飽き飽きしているキモチを表現する際に使います。

継続的かつ反復的な問題への強い不満やいらだちを表現しています。特に長期間にわたる問題や、何度も繰り返される不快な状況に対するいらだちやうんざり感を伝えるのに適しています。

fed は feed（食べ物を与える）の過去形で、「フェド」と読みます。feed up で「太るほど食べさせる」意味があります。

例 I'm fed up with the traffic jams on my commute.
通勤時の渋滞に飽き飽きしています。

on my commute：通勤中

例 I'm fed up with the slow internet connection at home.
家の遅いインターネット接続にうんざりしています。

例 I'm fed up with constantly having to clean up after others.

常に他人の後始末をしなければならなくてうんざりしています。

clean up after：後始末する

Ⓐ Why do you look so frustrated?

Ⓑ I'm fed up with my computer crashing all the time. It's really affecting my work.

Ⓐ なんでそんなにイライラしてるの？
Ⓑ コンピューターがしょっちゅうクラッシュするのにうんざりしてるんだ。仕事に本当に影響してるよ。

Ⓐ Have you talked to your roommate about the mess?

Ⓑ Yes, but I'm fed up with having to remind him constantly. It never changes.

Ⓐ 散らかってることについてルームメートと話した？
Ⓑ うん、でもずっと彼に思い出させ続けなきゃいけないのにうんざりしてるよ。全然変わらないんだ。

いろんな「うんざり」 fed up with と frustrated

I'm fed up with は状況や行動に対する長期間の強い不満や嫌悪感を、I'm frustrated は目標達成の妨げとなる障害に対する一時的または継続的な苛立ちや不満を　それぞれ表します。
I'm fed up with はより深刻な不満を、I'm frustrated は障害に対するイラだちという点で使い分けます。

4 悩みや不安を率直に話す

相手がとろける前フリ言葉

As far as I can see

これが絶対ではないけれど

この表現は、自分の意見や評価が限られた情報や個人的な視点に基づいていることを認めつつ、その時点での理解や見方を示すことができます。

As far as I can see, everyone does not seems happy with the decision.
私の見る限り、みんなその決定に満足していないようです。

As far as I can see, the data does not supports our initial hypothesis.
私の見る限り、データは私たちの初期の仮説を支持していません。

As far as I can see, the market trends are not moving in our favor.
私の見る限り、市場の動向は私たちの有利に進んでいないようです。

As far as I can see, the data supports our initial hypothesis.
私の見る限り、データは私たちの初期の仮説を支持しています。

As far as I can see と言うことで、それが1つの解釈だと認め、他の可能性や異なる意見にも開かれていることを示します。謙虚さを保ちつつも自分の立場を明確にする際に効果的です。

また、このフレーズは、話し手が自分の見解を持っていることを示しつつ、他の人の意見や情報を歓迎する姿勢を伝えるためにも役立ちます。

(　　　)内に入る単語を考えましょう。

73 あの高価な時計を買うべきではなかった。

I (s　　　) have bought that expensive watch.

※結局この人は時計を買った？買わなかった？？

74 キャリアチェンジをするかどうか迷っています。

I'm (w　　　) on making a career change.

※今突然迷い始めたのでなくて、グルグル考えている感じ

75 毎朝の交通渋滞には驚愕しています。

I'm (a　　　) by the traffic jam every morning.

76 もっと早くあなたに電話すべきだった。

I (s　　　) have called you sooner.

77 故郷を離れるのはツラすぎる。

It's too (p　　　) to leave my hometown.

78 公衆の前で話すことについて不安を感じています。

I feel (a　　　) about speaking in public.

40

73 I shouldn't have bought that expensive watch.

あの高価な時計を買うべきではなかった。

74 I'm wavering on making a career change.

キャリアチェンジをするかどうか迷っています。

make a career change は「キャリアチェンジをする（転職する）」という意味で、change career は「職業を変える」と似ていますが少し異なりますね

75 I'm appalled by the traffic jams every morning.

毎朝の交通渋滞には驚愕しています。

the traffic jam は「交通渋滞」という意味です。類語として traffic congestion（交通渋滞）はよく見かけます。

76 I should have called you sooner.

もっと早くあなたに電話すべきだった。

77 It's too painful to leave my hometown.

故郷を離れるのはツラすぎる。

return to my hometown（故郷に戻る）、visit my hometown（故郷を訪れる）、miss my hometown（故郷が恋しい）も覚えておきたいですね。

78 I feel anxious about speaking in public.

公衆の前で話すことについて不安を感じています。

In public は「公共の場で」「人前で」「公然と」という意味です。perform in public（公共の場で演じる）、behave in public（公共の場で振る舞う）

(　　　)内に入る単語を考えましょう。

79 ペットを失ったことを考えるのは辛すぎる。

It's (t　　　) (p　　　) to think about the loss of my pet.

80 私の直感を信じるべきだった。

I (s　　　) (h　　　) trusted my instincts.

※ジブンを信じなかったことを後悔している

81 新しい人々に会うことについて不安を感じています。

I feel (a　　　) (a　　　) meeting new people.

82 パーティーを早く去るべきではなかった。

I (s　　　) (h　　　) left the party early.

※この人が帰った後に何かステキなことが起こったのか？

83 毎日のニュースでの政治的な騒動にうんざりしています。

I'm (f　　　) up (w　　　) the political drama on the news every day.

84 子供部屋の散らかり具合には驚愕しています。

I'm (a　　　) (b　　　) the mess in the kids' room.

41

79 It’s too painful to think about the loss of my pet.

ペットを失ったことを考えるのは辛すぎる。

80 I should have trusted my instincts.

私の直感を信じるべきだった。

trust my instincts の意味は「自分の直感を信じる」または「自分の本能を信頼する」。

instinct は「本能」で、by instinct で「本能的に」、on instinct で「本能のままに」などと使われます。

81 I feel anxious about meeting new people.

新しい人々に会うことについて不安を感じています。

82 I shouldn’t have left the party early.

パーティーを早く去るべきではなかった。

83 I’m fed up with the political drama on the news every day.

毎日のニュースでの政治的な騒動にうんざりしています。

drama は「劇」や「脚本」といった意味のほかに「劇的な事件」の意味もあります。

84 I’m appalled by the mess in the kids’ room.

子供部屋の散らかり具合には驚愕しています。

mess の意味は「散らかり」「乱雑」ということです。make a mess(散らかす)、clean up the mess（散らかったものを片付ける）などのように使われます。

(　　)内にどの語を入れるとよいか考えましょう。

85 そんなに急いで決定をするべきではなかった。

We （have to, shouldn't, don't） have made such a quick decision.

86 仕事にうんざりしていて、転職を考えています。

I'm （fed, sorry, sad） up with my job and thinking about changing it.

※（　）の後の up with に注意

87 もっと忍耐強くあるべきだった。

I （will, shall, should） have been more patient.

88 時には真実に直面するのはツラすぎる。

It's too （painful, heartful, joyfull） to face the truth sometimes.

89 修士課程に進むかどうか迷っています。

I'm wavering （in, by, on） doing a master's degree.

※悩んでいるものから離れられなくてベッタリしているイメージ

90 政治の不正直さには驚いています。

I'm （fun, appalled, surprised） by the dishonesty in politics.

42

85 We shouldn't have made such a quick decision.

そんなに急いで決定をするべきではなかった。

make a decision の意味は「決定をする」または「決断を下す」ということです。careful decision（慎重な決定）、tough decision（厳しい決定）など様々な形容詞を組み合わせることができます

86 I'm fed up with my job and thinking about changing it.

仕事にうんざりしていて、転職を考えています。

87 I should have been more patient.

もっと忍耐強くあるべきだった。

patient はここでは形容詞で、「忍耐強い」「辛抱強い」という意味です（名詞として「患者」の意味もあります）。名詞の patience（忍耐、辛抱）、副詞の patiently（忍耐強く、辛抱強く）も頻出です。

88 It's too painful to face the truth sometimes.

時には真実に直面するのは辛すぎる。

89 I'm wavering on doing a master's degree.

修士課程に進むかどうか迷っています。

a master's degree は、「修士号」という意味です。bachelor's degree（学士号）、doctorate degree（博士号）も覚えておきましょう。

90 I'm appalled by the dishonesty in politics.

政治の不正直さには驚いています。

「dis-」から始まる名詞は「不～」「無～」などの意味になります。dishonesty（不正直）、diselection（落選）、disinterest（無関心）など

（　　）内の語を入れ替えて正しい文を作りましょう。

91 何の進展もないこれらの終わりのない会議にうんざりしています。

I'm （endless / with / these / fed / up / meetings） that lead nowhere.

92 夢をあきらめるのはツラすぎる。

（painful / up / to / it's / give / my dreams / too）.

※何を主語にするかを考えよう

93 手術を受けるかどうか迷っています。

（having / on / surgery / wavering / the / I'm）.

※手術を受ける＝have the surgery

94 レストランでどれだけ多くの食べ物が無駄にされているかに驚愕しています。

I'm （how / by / much food / appalled / is） wasted at the restaurant.

95 彼を盲信するべきではなかった。

（him / trusted / have / shouldn't /I） blindly.

96 彼女に俺がどう感じているか話すべきだった。今彼女は他のヤツといる。

（how / told / I / should / felt / I / her / have）. Now she's with someone else.

43

91 I'm fed up with these endless meetings **that lead nowhere.**

何の進展もないこれらの終わりのない会議にうんざりしています。

nowhere は「どこにもない」や「何も生まない」という意味で使われます。

92 It's too painful to give up my dreams.

夢をあきらめるのはツラすぎる。

give up の意味は「あきらめる」または「放棄する」ということです。

93 I'm wavering on doing the surgery.

手術を受けるかどうか迷っています。

undergo surgery（手術を受ける）、perform surgery（手術を行う）、cosmetic surgery（美容手術）、emergency surgery（緊急手術）も覚えておきたい組み合わせです。

94 **I'm** appalled by how much food is **wasted at the restaurant.**

レストランでどれだけ多くの食べ物が無駄にされているかに驚愕しています。

95 I shouldn't have trusted him **blindly.**

彼を盲信するべきではなかった。

blind は形容詞で、「盲目の」や「見えない」を意味します。しかし、blindly として副詞になると、「盲目的に」や「考えずに」という意味になります。

96 I should have told her how I felt. **Now she's with someone else.**

彼女に俺がどう感じているか話すべきだった。今彼女は他のヤツといる。

Chapter 5

自分から誘う、提案をする

🔊 44

Pattern 28 想像してみて、の型

What would you do if 🍎 🏃-ed?

もし🍎が🏃したらどうしますか？

過去形

What would you do if you won the lottery?

宝くじに当たったら何をしますか？

仮定的な質問で、何かしらの状況が発生した場合に相手がどのように反応するか、またはどのような行動をとるかについて尋ねます。

このパターンでは、現実では起こっていないけれど、将来起こり得る非現実的な状況や仮想的なシナリオについて話す**仮定法**を使っています。

主節には would ＋動詞の原形

「if」節には過去形の動詞や助動詞

例 What would you do if you could travel anywhere in the world?

世界中どこへでも旅行できるとしたら、どうしますか？

この質問では、仮想的なシナリオを通じて、相手の想像力や創造性を刺激し、どのように反応するかを探ります。

また、ある状況下ではどう考えて行動するのかを確認したり、相手の個人的な見解、好み、嗜好を深く知ることができます。

例 What would you do if you got stuck in an elevator?

エレベーターで閉じ込められたら、どうしますか？

get stuck in：はまり込む、行き詰まる

また、仮定的な状況に基づく話題は、会話をより興味深くすることができます。

例 What would you do if you were invisible for a day?

1日だけ透明人間になったら、どうしますか？

例 What would you do if you could change one thing about the world?

世界の何かを1つ変えられるとしたら、何を変えますか？

Ⓐ What would you do if you suddenly had a day off tomorrow?

Ⓑ Hmm, I think I would go hiking. I've been wanting to spend more time outdoors.

Ⓐ That sounds like a great idea. What trail would you take?

Ⓑ Probably the one at Blue Mountain. It has amazing views.

Ⓐ もし明日急に休日がもらえたら、何をする？
Ⓑ うーん、ハイキングに行くと思う。最近、外で過ごす時間を増やしたいと思ってたんだ。
Ⓐ それは素晴らしいアイデアだね。どのトレイルを歩くつもり？
Ⓑ たぶんブルーマウンテンのトレイルだね。眺めが素晴らしいから。

🔊 45

Pattern 29

～やったら楽しいと思わへん？の型

Wouldn't it be fun if we 🏃-ed?

一緒に🏃したら楽しいと思いませんか？

Wouldn't it be fun if we tried skydiving together?

（tried：過去形）

一緒に**スカイダイビングを試し**たら楽しいと思いませんか？

→一緒にスカイダイビングしたいなぁ

このフレーズは、可能性を探るための軽いキモチの表現で、楽しさやワクワクするアイデアを共有する際によく使います。

"Wouldn't it be fun if we 🏃?" という質問は、相手に前向きな反応を促し、新しいアイデアや活動への興味・興奮を共有する機会をつくります。

このような表現は、対話をより楽しく、創造的なものにし、人々を新しい体験や冒険に引き込む効果があります。また、この質問は友達や家族、同僚間での親密さを深める手段にもなります。

未来のことですが、we の次は過去形で話します

例 Wouldn't it be fun if we **started** our own YouTube channel?

私たちの Youtube チャンネルを始めたら楽しいと思いませんか？

例 Wouldn't it be fun if we **created** our own board game?

自分たちのボードゲームを作ったら楽しいと思いませんか？

Ⓐ Wouldn't it be fun if we went hiking next Saturday?

Ⓑ That sounds like a great idea! I love hiking.

Ⓐ 来週の土曜日にハイキングに行ったら楽しいと思いませんか？
Ⓑ それは素晴らしいアイデアですね！ハイキングが大好きです。

Wouldn't it be fun if we ～？と聞かれたときの答え方

Absolutely, that sounds like a blast! Let's do it.

Yes, that would be amazing! When can we start?

I love that idea! It would definitely be fun.

Count me in! It sounds like a great time.

That's a fantastic idea! I'm really looking forward to it.

などのように yes や no だけでなく、乗り気であることを伝えるようにすることが大切です。

Ⓐ Wouldn't it be fun if we cooked a meal together tonight?

Ⓑ Absolutely, what should we make?

Ⓐ 今夜、一緒に料理を作ったら楽しいと思わない？

Ⓑ ホントにそうですね、何を作りましょうか？

Ⓐ Wouldn't it be fun if we started a community garden?

Ⓑ Yes, that would be a fantastic way to bring the neighborhood together.

Ⓐ コミュニティガーデンを始めたら楽しいと思いませんか？

Ⓑ ええ、それは近所を１つにする素晴らしい方法になるでしょうね。

🔊 46

Pattern ポジティブ思考を促す型

30 What's your biggest hope regarding 🍎?

🍎に関して最大の希望は何ですか？

What's your biggest hope regarding your career?

あなたのキャリアで一番の希望は何ですか？

この質問は、相手のポジティブな視点や目標を探るために使います。相手の楽観的な考えや価値観、優先順位が見えてきます。

このタイプの質問は、あるトピックや状況への人の願望や希望に焦点を当て、ポジティブなキモチや未来志向の思考を引き出します。

希望に焦点を当てることで、ちょっと厳しめの挑戦や困難な状況に対してもポジティブな姿勢を持てるようになり、幸福感と満足感を高めることができます。

例 What's your biggest hope regarding **our relationship?**
私たちの関係で最大の希望って何？

例 What's your biggest hope regarding **the current situation?**
現状に関して最大の希望は何ですか？

Ⓐ What's your biggest hope regarding your career?

Ⓑ My biggest hope is to become a leader in my field and make a significant impact.

make an impact：影響を与える

Ⓐ あなたのキャリアで最も大きな希望は何ですか？
Ⓑ 私の最大の希望は、自分の分野でリーダーになり、大きな影響を与えることです。

Ⓐ What's your biggest hope regarding the upcoming year?

Ⓑ I'm hoping for peace and stability, both personally and globally.

Ⓐ 来年の一番の希望は何ですか？
Ⓑ 個人的にも世界的にも、平和と安定を望んでいます。

Ⓐ What's your biggest hope regarding the new project you're working on?

Ⓑ I hope it will be successful and open up more opportunities for our team.

work on：取り組む

Ⓐ あなたが取り組んでいる新しいプロジェクトに関して最も大きな希望は何ですか？
Ⓑ それが成功し、私たちのチームにさらに多くの機会をもたらすことを願っています。

相手の深い希望や願望について問いかけることは、相手の価値観や目標について理解を深めるのに役立ちます。

47

Pattern 31 ～でもよくね？の型

You could 🏃

🏃もできます

You could join a gym to stay fit.

体型を保つためにジムに入ることもできますよ。

→もちろん強制ちゃうからジムに入るも入らんも自由やけど提案した

このフレーズは、可能な選択肢や提案を見せる際に使います。相手に行動の選択肢を提供すると同時に、それを選ぶのは強制ではない気くばりを示します。

相手にアドバイスや提案をするときに有効なフレーズですが、同時に選択の最終的な決定は相手に委ねています。

この表現は、相手への尊重を示し、彼らが自分自身で選択を行うことを奨励します。

例 You could save money by cooking at home.

自宅で料理をすることでお金を節約することもできます。

→もちろん節約せんでも自由やけど節約した方がよくない？

例 You could practice more to improve your skills.

技能を向上させるためにもっと練習することもできます。

you can でなくてなぜ you could なの？

you can はかなりダイレクトな表現なので、押し付けがましさが伝わります。
you could にすることで、丁寧で配慮のある提案になります。

例 You could ask your manager for advice.

マネージャーにアドバイスを求めることもできます。

Ⓐ I'm not sure how to fix this problem with my computer.

Ⓑ You could try restarting it or maybe updating the software.

Ⓐ コンピュータのこの問題をどう修正すればいいかわからないんだ。
Ⓑ 再起動してみるか、もしくはソフトウェアをアップデートしてみるといいかもしれません。

Ⓐ I feel so stressed and overwhelmed lately.

Ⓑ You could take a day off to relax and unwind. Sometimes a little break is all you need.

Ⓐ 最近、すごくストレスを感じていっぱいいっぱいなんだ。
Ⓑ 一日休んでリラックスすることを考えてみてはどうですか。時にはちょっと休むことがあなたには必要です。

選択肢を見せるのに圧力をかけたり強制したりすることなく、気軽に話し合えるように配慮した言い方です。これにより、相手は自分の状況に基づいて、最適な選択を行うことができますね。

you should との提案度合いの違いは？

この you could は柔らかい提案を表し、選択肢の一つとして提示しますが、強い義務感や強制は含まれません。
一方で you should はもっと強い推奨や義務感を表し、相手にその行動をとるべきだという意見を強く示しています。

48

Pattern

32 やってみたらいいかも！の型 You might want to 🏃 🏃するといいかもしれません

You might want to book your tickets in advance.

事前にチケットを予約した方がいいかもしれません。
（もちろん予約してもせんでもいいけどオススメしといたよ）

このフレーズは、アドバイスや提案をする際に、相手に圧力をかけることなく、選択の自由を残す方法として使います。

押しつけがましくなく You might want to 🏃 と言うことで、自分の考えや経験に基づいた提案をしつつ、最終的な決定は相手に委ねています。

相手に敬意を払っている感じを与えるので、ちょっと敏感なトピックや、改善が必要な状況でのフィードバックをする際にも役立ちます。

例 You might want to check the weather before you leave.
出かける前に天気を確認した方がいいかもよ。

例 You might want to consider taking a break.
休憩をとることを検討するといいかもしれません。

Ⓐ It looks like it's going to rain during our picnic.

Ⓑ You might want to bring a large umbrella, just in case.

just in case ＝念のため

Ⓐ ピクニック中に雨が降りそうだね。
Ⓑ 念のため、大きな傘を持っていくといいかもしれませんよ。

Ⓐ I always have trouble sleeping at night.

Ⓑ You might want to try drinking chamomile tea before bed. It's quite relaxing.

have trouble ～ ing：～で困っている、～しづらい
before bed：就寝前

Ⓐ 夜、いつも眠りにくいんだ。
Ⓑ 寝る前にカモミールティーを飲んでみるといいかもね。とてもリラックスできるよ。

Ⓐ I always get so nervous before interviews.

Ⓑ You might want to practice with a friend beforehand. It can make a big difference.

Ⓐ 面接前にいつもすごく緊張するんだ。
Ⓑ 事前に友達と練習するといいかもしれません。大きな違いが出るかもしれませんよ。

49

Pattern 33 ユルッと提案する型

Perhaps we could 🏃

🏃できるかもしれない

Perhaps we could take a break and revisit this later.

休憩をとって、後でこれを見直すことができるかもしれません。
→休憩とって後でこれ見直さへん？

このフレーズは、新しいアイデアや計画を提案する際に、ガチガチに決まったことではないと示し、反対や異議を和らげるために使います。

提案を穏やかに提示し、相手に選択肢や考える余地を与えることができるのがPerhaps we could 🏃です。このような表現は、一緒に決めて、動くことを促すのに有効で、相手の意見や提案を歓迎する姿勢を示します。

例 Perhaps we could plan a trip together.
一緒に旅行の計画を立てられたらいいですね。

例 Perhaps we could collaborate on this project.
このプロジェクトで協力することができるかもしれません。

例 Perhaps we could ask for some expert advice on this matter.
この件について専門家のアドバイスを求めることができるかもしれません。

Ⓐ I can't seem to focus when I study at home.

Ⓑ Perhaps we could go to the library or a café together to study.

can't seem to ～：～できない気がする。～できそうにない

Ⓐ 家で勉強していても集中できないんだ。

Ⓑ 一緒に図書館やカフェに行って勉強することができるかもしれないよ。

Ⓐ I'm getting bored with my weekend routine.

Ⓑ Perhaps we could go on a hike or visit a museum we've never been to before.

go on a hike：ハイキングに行く

Ⓐ 週末のルーティーンに飽きてきたよ。

Ⓑ ハイキングに行ったり、今まで行ったことのない美術館を訪れることができるかもしれませんね。

Perhaps we could と Let's

Perhaps we could と Let's はどちらも「一緒にやりましょう」と提案をする際に使います。

ただ、Perhaps we could はより慎重で、礼儀正しい提案の仕方であり、話し合いでの検討を求める際に使われることが多いです。直接的でないアプローチを取りたいときに便利です。

一方で、Let's はより直接的で、行動を促す強い呼びかけを示します。これは、話し手がもう決心していて、相手により断固として参加や決定を促す提案をしていることを示唆しています。

◀)) 50

Pattern

控えめに意見を伝える型

34 I would say ○○○

○○○だと思います

I would say that's a fair price.

私はそれが公正な価格だと思うよ。

自分の考えを述べつつも、それが一つの意見であることを認識しているときに使います。

この表現は、確信を持っているけれど、他の意見も聞く耳をもつことを示すバランスの取れた言い方です。また、I would say は、発言が柔かく聞こえるので、相手に自分の意見を押し付けることなく、対話を続ける余地を残します。

このような表現は、グループ内の議論やチームミーティング、意思決定のプロセスなどで使うと効果的です。

例 I would say we need more time to consider this.
もう少しこれについて考える時間が必要だと思います。

例 I would say the meeting was productive.
会議は生産的だったと思います。

Ⓐ What do you think of the new policy proposal?

Ⓑ I would say it's a step in the right direction, but it still needs some adjustments.

Ⓐ 新しい政策提案についてどう思いますか？
Ⓑ 正しい方向に一歩進んでいるものの、まだ調整が必要だと思います。

Ⓐ Do you think we'll finish the project on time?

Ⓑ I would say our chances are good, as long as we stay on track with the current schedule.

as long as：～すれば、～する限りは

Ⓐ 期限内にプロジェクトを終えることができると思いますか？
Ⓑ 現在のスケジュールを守れば、可能性は高いと思います。

Ⓐ Do you like the new park?

Ⓑ I would say it's really nice. There's so much space to play!

Ⓐ 新しい公園は好き？
Ⓑ すごくいいと思うよ。遊ぶスペースがたくさんある！

I think that とどう違う？

I would say と I think はどちらも話し手の意見を表現しますが、少しニュアンスが異なります。
I would say はより慎重に考えられた意見を伝える際に使われ、話し手がその問題について考え、たどり着いた結論を言葉にしています。

I think はより直接的で、個人的な考えや信念を表現するために使います。あらゆるトピックについて非常によく使われます。

Pattern 35 あるかもしれないの型

I think there might be ●

●があるかもしれない

I think there might be a mistake in the change you gave me.

あなたがくれたお釣りに間違いがあるかもしれません。
←お釣り間違ってるんちゃう!?(心の声)

確信は持てないけれど何かが起こる可能性を指摘したい場合に使う、ちょっと慎重さのある表現です。相手とのさらなる議論や確認を促すためにも役立ちます。

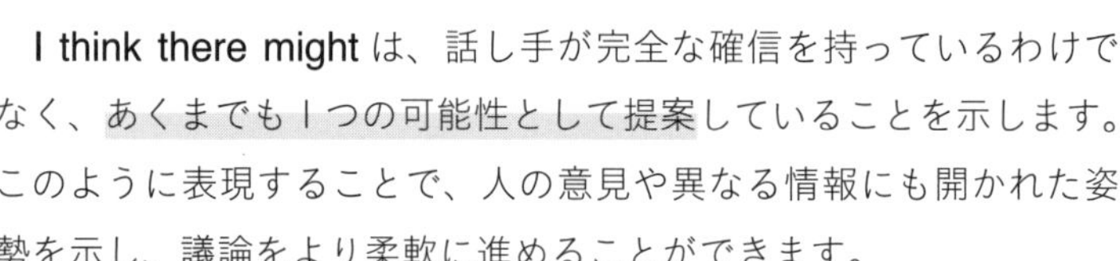

I think there might は、話し手が完全な確信を持っているわけでなく、あくまでも1つの可能性として提案していることを示します。このように表現することで、人の意見や異なる情報にも開かれた姿勢を示し、議論をより柔軟に進めることができます。

また、間違いや誤解があった場合に備えて、自分の意見を控えめに表現する際にも用いられます。

例 I think there might be **some traffic on the way home.**
帰り道に交通渋滞があるかもしれない。

例 I think there might be **a delay in the delivery.**
配達に遅れがあるかもしれません。

よくある

You are wong. 「あんた間違ってるで」

これは非常に率直な表現で、解釈の余地を残しません。そして、相手の視点や意見を直接否定します。まぁ普通、こんな言い方をされたら、相手は自分の意見が無視されたり、軽んじられたりしたと感じますよね。

英語圏の多くの文化では、このような直接的な言い方はしばしば対立的と見なされます。文脈的に柔らかくしたり、より社交的な言葉遣いをしたりしないと、失礼と受け取られることがあります。

Ⓐ I heard that you're not happy with my work on the project.

Ⓑ Oh, I think there might be a misunderstanding. I'm actually very pleased with your contribution.

Ⓐ Really? That's a relief to hear. I was worried I wasn't meeting expectations.

Ⓑ No, you're doing great. It's just that I had some additional suggestions for improvement.

That's a relief：ホッとする

Ⓐ プロジェクトでの私の仕事に満足していないと聞きました。
Ⓑ ああ、誤解があるかもしれませんね。実は、あなたの貢献にとても満足していますよ。
Ⓐ 本当ですか？それを聞いて安心しました。期待に応えられていないのではと心配していたんです。
Ⓑ いいえ、あなたは素晴らしい仕事をしています。ただ、改善のため、いくつか追加の提案があっただけです。

相手がとろける前フリ言葉

If I might suggest something,

ちょっと提案してもいいですか。

提案や意見を控えめかつ礼儀正しく提出する際に使用されるフレーズです。このフレーズは、提案をする際に控えめな姿勢を示すことで、相手に圧力をかけずに自分の考えを伝えるためによく使います。

If I might suggest something, try adding some spices to the recipe.
ちょっと提案してもいいですか、レシピに少しスパイスを加えてみてください。

If I might suggest something, we could watch the sunset at the beach.
ちょっと提案してもいいですか、海辺に夕日を見に行きましょう。

If I might suggest something, let's order dessert with our coffee.
ちょっと提案してもいいですか、コーヒーと一緒にデザートを注文しましょう。

If I might suggest something, と言うことで、話し手は相手に敬意を払っていることを示し、同時に自分のアイデアを提供します。

このような表現は、ちょっと敏感な話題や意見の相違がある場合に効果的で、対話をより建設的で受け入れやすいものにします。話し手が自分の意見を押し付けることなく提案したい場合にも役立ちます。

（　　　）内に入る単語を考えましょう。

97 新年のあなたの最大の希望は何ですか?

What's your biggest hope (r　　　) the new year?

98 オンラインで調査を始めることもできます。

You (c　　　) start by researching online.

※調査を始めなさいと命令しているわけではないが、本心はしてほしい

99 このプロジェクトで協力することができるかもしれません。

(P　　　) we could collaborate on this project.

※協力しましょう！と提案したい

100 後で雨が降る可能性があるかもしれません。

I think (t　　　) might be a chance for rain later.

101 山でキャンプに行ったら楽しいと思いませんか？

Wouldn't it be (f　　　) if we went camping in the mountains?

102 落とし物の財布を見つけたら、どうしますか？

What (w　　　) you do if you found a lost wallet?

52

97 What's your biggest hope regarding the new year?

新年のあなたの最大の希望は何ですか？

98 You could start by researching online.

オンラインで調査を始めることもできます。

99 Perhaps we could collaborate on this project.

このプロジェクトで協力することができるかもしれません。

onは、協力や作業の対象やトピックを示すために使われます。英語では、work（働く）、focus（集中する）、collaborate（協力する）、concentrate（集中する）などの動詞と組み合わせて、行動の対象を示すためにonが一般的に使われます。

100 I think there might be a chance for rain later.

後で雨が降る可能性があるかもしれません。

chance forは、何かが起こる可能性や機会を示す際に使います。日本語の「チャンス」と違って、ポジティブな意味だけではありません。例えば、chance for success（成功のチャンス）やchance for improvement（改善の機会）などの表現で使われます。

101 Wouldn't it be fun if we went camping in the mountains?

山でキャンプに行ったら楽しいと思いませんか？

go campingは「キャンプに行く」という意味の動詞句です。

102 What would you do if you found a lost wallet?

落とし物の財布を見つけたら、どうしますか？

lostがこの文のように形容詞で使われる例としては、lost child（迷子）、lost opportunity（逃した機会）ような表現があります。

（　　）内に入る単語を考えましょう。

103 決定を下す前に代替案を検討することもできます。

You (c　　　) (c　　　) alternative options before making a decision.

104 チームビルディングのイベントを企画することができるかもしれません。

(P　　　) we (c　　　) organize a team-building event.

105 計算に誤りがあるかもしれません。

I (t　　　) there (m　　　) beanerror in our calculations.

106 スーパーパワーがあったら、どう使いますか？

What (w　　　) you (d　　　) if you had superpowers?

※楽しい空想で話題を広げています

107 それは公平な評価だと思います。

I (w　　　) (s　　　) that's a fair assessment.

108 一緒にダンスレッスンを受けたら楽しいと思いませんか？

(W　　　) it be (f　　　) if we took dance lessons together?

53

103 You could consider alternative options before making a decision.

決定を下す前に代替案を検討することもできます。

make a dicision で「決定する」。make は「作る」だけでなく様々な表現で使えます。make a living（生計を立てる）、make a name for（名声を得る）、make a difference（影響を与える）」など

104 Perhaps we could organize a team-building event.

チームビルディングのイベントを企画することができるかもしれません。

105 I think there might be an error in our calculations.

計算に誤りがあるかもしれません。

calculation は「計算」の意味。ちなみに足し算 = addition、引き算 = subtraction、掛け算 = multiplication、割り算 = division です。「1+2 = 3」を one plus two equals three のように言います。

106 What would you do if you had superpowers?

スーパーパワーがあったら、どう使いますか？

107 I would say that's a fair assessment.

それは公平な評価だと思います。

この文脈での fair は、「公平な」や「妥当な」という意味の形容詞です。反義語としては、unfair（不公平な）、biased（偏った）、partial（一方的な）などがあります。

108 Wouldn't it be fun if we took dance lessons together?

一緒にダンスレッスンを受けたら楽しいと思いませんか？

(　　　)内にどの語を入れるとよいか考えましょう。

109 イベントで良い席を見つけるために早めに到着するといいでしょう。

You （can, can't, might） want to arrive early to find good seating at the event.

※話し手からの提案ですが、主語がyouなところに注目！

110 ここに誤解があるかもしれません。

I think there （would, might, could） be a misunderstanding here.

111 みんなで新しい言語を学んだら楽しいと思いませんか？

（Wouldn't, Would, Could） it be fun if we all learned a new language?

112 思考を整理するためにリストを作成することもできます。

You （might, could, have to) write a list to organize your thoughts.

※整理できないんだからリストを作成しなさい、と強制せずにオススメしている

113 まだ決定を下すには早すぎると思います。

I would （think, do, say） it's too early to make a decision.

114 歴史上のどんな人物にでも会えるとしたら、誰に会いますか？

What （would, do, did） you do if you could meet any historical figure?

54

109 You might want to arrive early to find good seating at the event.

イベントで良い席を見つけるために早めに到着するといいでしょう。

110 I think there might be a misunderstanding here.

ここに誤解があるかもしれません。

misunderstanding は「誤解」という意味で、We need to clear up this misunderstanding.（この誤解を解消する必要があります。）などのように使われます。ちなみに mis- から始まると「誤った」「不利な」「無」などの意味を加えるので miscount（誤算）、misfit（不適合）、mismatch（ミスマッチ、不釣り合い）などの意味になります。

111 Wouldn't it be fun if we all learned a new language?

みんなで新しい言語を学んだら楽しいと思いませんか？

112 You could write a list to organize your thoughts.

思考を整理するためにリストを作成することもできます。

113 I would say it's too early to make a decision.

まだ決定を下すには早すぎると思います。

114 What would you do if you could meet any historical figure?

歴史上のどんな人物にでも会えるとしたら、誰に会いますか？

figure の意味はこの文脈では「人物」または「歴史上の人物」ということです。

(　　　)内の語を入れ替えて正しい文を作りましょう。

115 あなたの子供たちの未来に関して最も大きな希望は何ですか?

(regarding / hope / biggest / your / what's) your children's future?

116 何か提案してもいいですか、映画を観る前にその本を読んでみてください。

(I / something / might / if / suggest) , read the book before seeing the movie.

117 計画にいくつかの変更が必要かもしれません。

(a few / might / think / there / be / I / changes) needed in the plan.

※主語を何にしましょうか

118 世界中どこへでも旅行できるとしたら、どこに行きますか?

(do / would / could / you / you / what / travel/ if) anywhere in the world?

119 読書クラブを始めたら楽しいと思いませんか?

(started / we / it / fun / if / be / wouldn't) a book club?

※私たちが一緒に始めたら…と誘っています

120 面接前にその会社についてもっと調べるといいでしょう。

(about / want / more / to / might /research / you) the company before your interview.

55

115 What's your biggest hope regarding your children's future?

あなたの子供たちの未来に関して最も大きな希望は何ですか？

116 If I might suggest something, read the book before seeing the movie.

何か提案してもいいですか、映画を観る前にその本を読んでみてください。

seeing a movie は映画館で映画を観る体験を表す一般的な表現で、映画を観に行く行為を強調しています。一方、watching a movie は家で映画を観たり、個人のデバイスで観たりする行為を表すのによく使われます。

117 I think there might be a few changes needed in the plan.

計画にいくつかの変更が必要かもしれません。

a few は「少数の」「いくつかの」という意味の形容詞句で、「いくつかの変更」や「いくつかのアイテム」のように、具体的な数が定まっていないが、完全にゼロではない状況を表します。

118 What would you do if you could travel anywhere in the world?

世界中どこへでも旅行できるとしたら、どこに行きますか？

119 Wouldn't it be fun if we started a book club?

読書クラブを始めたら楽しいと思いませんか？

120 You might want to research more about the company before your interview.

面接前にその会社についてもっと調べるといいでしょう。

Chapter 6

相手が動きたくなる主張と説得

56

Pattern 36

ココ大事なとこ!の型

The key point here is / that

ここでの重要な点は、です

The key point here is to understand the basics.

ここでの重要な点は、**基本を理解すること**です。

議論の中で、特に重要だと考える部分に聞き手の注意を集中させたいときに使うフレーズです。議論の中核となるポイントや、理解してほしい主要なアイデアをきわ立たせます。

この表現は、あなたがそのポイントに自信を持っており、それが議論全体の理解に不可欠であると信じていることも暗に意味することができます。

このフレーズを使うことで、聞き手の注意を特定の情報に向け、議論をより効果的に進めることができます。また、重要なポイントを強調して聞き手の理解を深め、議論の全体像を明確にすることもできます。

to で「〜すること」

例 The key point here is to save money regularly.
ここでの重要な点は定期的にお金を貯めることです。

例 The key point here is to respect others.
ここでの重要な点は、他人を尊重することです。

例 The key point here is that quality should not be compromised.

ここでの重要な点は、品質を妥協してはならないということです。

Ⓐ I'm overwhelmed by all the different advice on healthy eating.

Ⓑ The key point here is to find a balance that works for you, not just follow trends.

overwhelmed by～：～に圧倒される・閉口する

Ⓐ 健康的な食事に関するさまざまなアドバイスに参ってます。

Ⓑ ここでの重要な点は、ただ流行に従うのではなく、あなたに合ったバランスを見つけることです。

Ⓐ There are so many features in this software. It's hard to know where to start.

Ⓑ The key point here is to focus on the features that are most relevant to our project first.

relevant to：～と関連がある

Ⓐ このソフトウェアには多くの機能があります。どこから始めればいいのかわかりません。

Ⓑ ここでの重要な点は、まず私たちのプロジェクトに最も関連する機能に焦点を当てることです。

57

Pattern 37

このために私は来た！の型

I'm here to 🏃

🏃のために来ました

I'm here to look for a birthday present for Meru.

メルの誕生日プレゼントを探すためにここに来ました。

このフレーズは、自分の存在や行動の目的を明確に伝える際に使います。

「I'm here to」というフレーズを使うと、自分がなぜその場にいるのかを整理して他の人に理解させることができます。自分の存在や行動の目的を明確に伝えるということですね。

自分の目的を明らかにすることで、周りとの協力や協働を促す狙いもあります。

例 I'm here to sign up for the lesson.

レッスンを申し込むために来ました。

例 I'm here to support the team.

チームをサポートするために来ました。

例 I'm here to present our new product.

私たちの新製品を紹介するために来ました。

Ⓐ Why did you come to the library?

Ⓑ I'm here to research for my upcoming thesis.

Ⓐ なぜ図書館に来たんですか。
Ⓑ 私は今後の論文のために研究しに来ました。

Ⓐ Is this the right place for the workshop?

Ⓑ Yes, I'm here to attend the leadership workshop.

Ⓐ ワークショップはこの場所でよかったですか。
Ⓑ はい、私はリーダーシップワークショップに参加しに来ました。

どんなときに I'm here to を使う？

日本語で頻繁に使うイメージがない "I'm here to"。英語圏では、軽い会話でもよく「なぜ」「何のために」と聞かれるので、自分がなぜその場所にいるのか、何をしに来たのかを話せると会話が弾みます。ビジネスミーティング、イベント、あるいは日常会話など、さまざまな状況で便利に使えます。

ビジネスや仕事の場面で：

I'm here to discuss the new project proposal.
新しいプロジェクト提案について話し合うために来ました。

学校や教育の環境で：

I'm here to learn English.
英語を学ぶためにここにいます。

医療や健康に関連する場面で：

I'm here to see the doctor.
医者に診てもらうために来ました。

友人や家族との会話で：

I'm here to help you move.
引っ越しの手伝いをしに来たよ。

58

Pattern 38

私がしたいのはこれだけの型

All I want to do is 🏃

私がしたいのは🏃だけです

原形

All I want to do is help you.

私がしたいのはあなたを助けることだけです。

このフレーズは、何かの行動をとること、または何かの状況を達成したいという強い願望や意図を表現する際に使います。

このフレーズを使うと、意志や願望が明確で、目標に対する強いコミットメントを持っていることを示すことができます。他の要素や選択肢には目もくれず、目の前の行動や目標に完全に集中していることを強調します。

All I want to do is の後は動詞の原形（to、ing や ed が付かない）を使うことに注意しましょう。

動詞の原形

例 All I want to do is travel the world.
私がしたいのは世界中を旅することだけです。

例 All I want to do is make a difference.
私がしたいのは変化をもたらすことだけです。

例 All I want to do is support my family.
私がしたいのは家族を支えることだけです。

Ⓐ You seem really stressed lately. Is everything okay?

Ⓑ All I want to do is take a few days off and relax. Work has been overwhelming.

take a days off：休みをとる

Ⓐ 最近、本当にストレスを感じているように見えるけど、大丈夫？

Ⓑ ただ数日休んでリラックスしたいだけなんだ。仕事がとても忙しくて。

Ⓐ Are you thinking about any vacations soon?

Ⓑ Definitely, all I want to do is travel to LA.

Ⓐ LA would be amazing.

Ⓐ 近々、休暇の予定は考えてる？

Ⓑ もちろん、私がしたいのは LA への旅行だけだよ。

Ⓐ LA は素晴らしいだろうね。

All I want to 🏃 is 🍎もよく使います

All I want to eat is sushi.

私が食べたいのは寿司だけです。

All I want to hear is your voice.

私が聞きたいのはあなたの声だけです。

All I want to drink is green tea.

私が飲みたいのは緑茶だけです。

All I want to say is thank you.

私が言いたいのはありがとうだけです。

🔊 59

Pattern 39

これっきゃない！の型

The only thing I 🏃 is

私が🏃する唯一のことは

The only thing I need is your support.

私に必要な唯一のことはあなたのサポートです。

このフレーズは、何かの行動、感情、願望、または考えに専念していることを表現する際に使います。

このフレーズは、何かものや側面に強いキモチや関心を持っていることを示し、その他の要素は重要でないか無関係であるという姿勢を表します。

それは、優先順位が高い、ある事柄に対する深いコミットメントや情熱を表現することにも繋がります。

例 The only thing I care about is your wellbeing.
私が気にかけている唯一のことはあなたの幸福です。

例 The only thing I desire is peace.
私が望む唯一のことは平和です。

例 The only thing I remember is his smile.
私が覚えている唯一のことは彼の笑顔です。

Ⓐ You're such a talented artist! How did you create this beautiful painting?

Ⓑ Thank you! The only thing I used was my imagination and a brush.

Ⓐ あなたは本当に才能のあるアーティストですね！この美しい絵をどのように作成したのですか？

Ⓑ ありがとう！使った唯一のものは想像力と筆でした。

Ⓐ Your garden looks stunning! How do you keep your plants so healthy?

Ⓑ Well, the only thing I focus on is providing them with the right amount of water and sunlight.

Ⓐ あなたの庭は見事ですね！どのようにして植物を健康に保っているのですか？

Ⓑ まあ、私が力を入れる唯一のことは、適切な量の水と日光を供給することです。

6 相手が動きたくなる主張と説得

the only thing と All I want to do

60

Pattern 40

これが最善！と勧める型

I think the best way is to 🏃

🏃が最善の方法だと思います

I think the best way is to stay positive and keep trying.

前向きでいて挑戦しつづけるのが最善の方法だと思うんだ。

問題に対処する最適な解決策や行動方法を提案する際に使うフレーズです。

このフレーズは、あなたが問題解決に対して積極的な姿勢をとっていて、状況に対処するための具体的なアプローチや戦略を持っていることを伝えます。また、この表現を使うことで、経験、知識、または洞察に基づく提案を行っていることを示し、その提案が最良の選択肢だと真剣に勧めていることを強調できます。

このタイプの表現は、議論や計画の中でリーダーシップを取り、周りに影響を与える意図を持っていることを示します。

例 I think the best way is to learn from our mistakes.
失敗から学ぶのが一番いい方法だと思いますよ。
→悪いこと言わんから、ミスから学んどき！

例 I think the best way is to adapt to changes quickly.
変化に迅速に適応するのが最善の方法だと思います。

会社や団体として提案したいときは主語を we にします。

例 We think the best way is to communicate openly.

私たちは包み隠さずコミュニケーションをとるのが最善だと思います。

Ⓐ I'm having trouble getting all my work done on time.

Ⓑ I think the best way is to create a detailed schedule and stick to it.

stick to：何かにくっつく、何かから離れない

Ⓐ 期限内に仕事を全部終わらせるのが難しいんだ。

Ⓑ 一番いい方法は、詳細なスケジュールを作って、それに従うことだと思うよ。

Ⓐ I'm trying to save money for a vacation.

Ⓑ I think the best way is to set aside a small amount of money from each paycheck.

set aside：（set ＝置いておく）＋（aside ＝側に）＝取り分けて置く

Ⓐ 休暇のためにお金を貯めようとしているんだ。

Ⓑ 給料から毎回少しずつお金を取り分けるのが、最善の方法だと思います。

you should 〜で勧める場合との違い

人に勧める言い方として you should 〜もありますね。主な違いは、I think the best way is to 〜は話し手の見解や提案を柔らかく表現し、you should 〜はより断定的で強い推奨を示している点にあります。前者は提案を穏やかに提示するときに、後者はより具体的な行動を促す際に使うといいでしょう。

🔊 61

Pattern 41

ちょっと強引に同意を引き出す型

You would agree that ■■■, right?

■■■に賛成しますよね？

You would agree that exercise is good for your health, right?

運動は健康に良いと賛成しますよね？

相手に、ある事実や意見に同意してもらいたいときに使うフレーズです。

これは特に相手から同意をやや強引に引き出したいときに使います。

逆に言えばこのフレーズは、「right?」という疑問形を相手が「はい」と答えることを期待して使う分、異議を唱えにくい状況を作り出します。少し強引に感じられることがありますので注意しましょう。

相手が反対意見を持っている場合、それを表明するのが難しくなる可能性があります。

例 You would agree that **we need a break**, right?

私たちは休憩が必要だってことに賛成しますよね？

→休憩が必要やで！ な!?

例 You would agree that **eating healthy is good**, right?

健康的に食べることは良いことだと同意しますよね？

→健康的に食べたいやんな！ な!?

❿ You would agree that **reading helps us learn**, right?
読書は学びに役立つってことに賛成しますよね？

ただ、このフレーズを使うと常に強引になるわけではなく、文脈や話し手の意図次第です。オープンな議論の場では、相手の意見を確認する手段として使われることもあります。

このフレーズを使う際は、相手の意見や立場を尊重する姿勢を示すことが重要ですね。

Ⓐ This new coffee shop has the best espresso in town.

Ⓑ You would agree that **their coffee is better than the old cafe's**, right?

the best 🍎 in town：町一番の🍎

Ⓐ この新しいコーヒーショップには町で一番のエスプレッソがあるよ。

Ⓑ 古いカフェのコーヒーよりも彼らの方が良いってことに賛成するよね？

Ⓐ I think we should start planning our vacation early this year.

Ⓑ You would agree that **it's better to book everything in advance**, right?

Ⓐ 今年は早めに休暇の計画を立てるべきだと思うよ。

Ⓑ 全てを事前に予約しておく方が良いってことに賛成するよね？

🔊 62

Pattern 42 保証したろ、の型

I can assure you that ●●●

●●●を保証します

I can assure you that I turned off the oven.

オーブンを消したことを保証します。
→信じて！（言いたいこと）

この表現は、特に信頼性や確実性を強調したいとき、または誠実さや責任感を示したいときに使います。

ビジネスの文脈では、このフレーズは製品の品質、プロジェクトの進行、サービスの提供などに関する保証や確約を伝えるのによく使います。

日常的な状況では、個人的な約束や行動に関する安心感を提供するために使います。

例 I can assure you that I will not be late for lunch.
ランチに遅れないことを保証します。
→今回は絶対遅れへんから！信じて！！

例 I can assure you that I haven't forgotten your birthday.
あなたの誕生日を忘れていないことを保証します。

このように文脈に応じて幅広く使われますが、正式かつ堅い響きから、ビジネスやフォーマルな状況での使用がより一般的です。

このフレーズを使う心理的背景には、信頼と安心を与えたいという強い願望があります。安心感を創り出すので信頼関係を築く上で重要な役割を果たしますね。

Ⓐ I'm not sure if I should apply for that job. It seems really competitive.

Ⓑ I can assure you that you have the skills and experience they're looking for.

Ⓐ その仕事に応募すべきかどうかわからない。すごく競争が激しそうだ。
Ⓑ あなたが持っているスキルと経験は彼らが求めているものだと断言できます。

Ⓐ Are you sure the package will arrive on time? It's really important.

Ⓑ I can assure you that it will be delivered by tomorrow. I've confirmed it with the courier.

Ⓐ パッケージが時間通りに届くか本当に確かですか？すごく重要なんです。
Ⓑ 明日までに配達されることを保証します。配送業者に確認しました。

I can assure you that と I promise you that

I can assure you that は事実や状況について自信を持って保証し、相手に安心感を与えたいときに使います。

I can assure you that the data is accurate.

データが正確であることを保証します。

I promise you that は個人的な約束やコミットメントを示すのに使います。

I promise you that I will deliver the report by tomorrow.

明日までにレポートを提出すると約束します。

相手がとろける前フリ言葉

according to 🍎

🍎によると
（説得力増し増し）

自分の主張や情報の信頼性を高めるために、権威ある情報源や専門家の意見を引用することは効果的ですね。そんな時に使えるのがこのフレーズです。

according to を使って引用することで、情報の信頼性を高め、自分の主張や見解に裏付けを与えることができます。

According to experts, a healthy diet reduces health risks.
専門家によると、健康的な食事は健康リスクを減少させます。

According to the study, exercise boosts mental health.
研究によると、運動は精神的な健康を向上させます。

According to the reviews, this is the best restaurant in town.
レビューによると、これが町で最高のレストランです。

According to the data, our strategy is working effectively.
データによると、私たちの戦略は効果的に機能しています。

また別の効果として、自分の意見や考えとは別に、客観的な視点やデータに基づいて情報を提供していることを明確にします。これは、話題に対する中立的または客観的なアプローチを強調するのに役立ちますね。

regardless of 🍎, I

🍎にかかわらず
（一貫した意志を示す）

regardless of は、条件、状況、または他人の行動・意見に左右されずに、個人があるアクションをとるか、ある信念や感情を持つことを宣言する際に用います。

このフレーズを使うことで、自身の独立性、決断力、または個人的な価値観を強調することができます。

Regardless of the weather, I will go for a walk.
天気がどうあれ、私は散歩に行くつもりです。

Regardless of the difficulty, I will finish this task.
困難さにかかわらず、私はこのタスクを完了させます。

Regardless of what others think, I will pursue my dream.
他人が何と思おうと、私は自分の夢を追い続けます。

Regardless of the risk, I will try my best.
リスクにかかわらず、私は最善を尽くします。

Regardless of 🍎. I というフレーズは、話し手が外部の状況に影響されずに一貫した行動をとることを決意していることを示し、その強い責任感や自信を表現するのに役立ちます。

without a doubt

間違いなく
（自信を表明する）

without a doubt は、確信や絶対的な信念を表明する際に使うフレーズです。この表現は、何かについて完全に確信していることを表現するフレーズなので、強い信頼感や自信が伝わります。

Without a doubt, she is the best candidate for the job.
彼女がその仕事に最適な候補者であることは間違いありません。

Without a doubt, this is the best restaurant in town.
これが町で最高のレストランであることは間違いありません。

Without a doubt, we will finish the project on time.
間違いなく、私たちはプロジェクトを期限内に完成させます。

Without a doubt, he's an expert in his field.
彼がその分野の専門家であることは間違いありません。

自分の意見や信念に非常に自信を持っていることを示すことができます。このフレーズは、確信や自信を強調し、聞き手に対してその見解や判断が信頼に足るものであることを伝えます。

十分な知識や経験を持っていることを示唆するので、他人を説得する際に効果的です。

(　　)内に入る単語を考えましょう。

121 ここでの重要な点は、顧客のニーズを理解することです。

The (k　　) point here is to understand the customer's needs.

122 安全が最優先だと同意しますよね？

You would (a　　) that safety comes first, right?

※安全最優先＝safety comes first

123 私がしたいのは幸せになることだけです。

All I (w　　) to do is be happy.

124 私が気にかけている唯一のことはあなたの幸福です。

The only (t　　) I care about is your wellbeing.

125 私たちの将来の計画について話し合うために来ました。

I'm (h　　) to discuss our future plans.

※ここに来た、ここにいる！

126 私たちはあなたのビジネスを重視していることを保証します。

I can (a　　) you that we value your business.

127 レポートによると、私たちの売上は20%増加しました。

(A　　) to the report, our sales have increased by 20%.

63

121 The key point here is to understand the customer's needs.

ここでの重要な点は、顧客のニーズを理解することです。

122 You would agree that safety comes first, right?

安全が最優先だと同意しますよね？

comes first は「最優先である」や「最も重要である」という意味で Quality comes first.（品質が最優先です。）、Customer satisfaction comes first.（顧客満足度が最も重要です。）のように使えるので覚えておきたいですね。

123 All I want to do is be happy.

私がしたいのは幸せになることだけです。

124 The only thing I care about is your wellbeing.

私が気にかけている唯一のことはあなたの幸福です。

wellbeing は「幸福」「健康」「福祉」という意味です。個人の心身の健康や幸福感、生活の質などを指します。

125 I'm here to discuss our future plans.

私たちの将来の計画について話し合うために来ました。

126 I can assure you that we value your business.

私たちはあなたのビジネスを重視していることを保証します。

127 According to the report, our sales have increased by 20%.

レポートによると、私たちの売上は20%増加しました。

(　　　)内に入る単語を考えましょう。

128 記事によると、緑茶は健康に良いです。

(A　　　)(t　　　) thearticle,drinking green tea is good for your health.

※説得力増し増しにしようとしている

129 これが正しい選択であることは間違いありません。

(W　　　) a (d　　　), this is the right choice.

※間違いなく！の常套句

130 変化をもたらすためにここにいます。

I'm (h　　　)(t　　　) make a difference.

131 私がしたいのは学び成長することだけです。

(A　　　) I want to (d　　　) is learn and grow.

132 忍耐は美徳だと同意しますよね？

You (w　　　) (a　　　) that patience is a virtue, right?

133 犬にエサをやったことを保証します。

I (c　　　) (a　　　) you that the dog has been fed.

※腹空かせてるのあんたのせいちゃう？？という理不尽な問いに答えている

134 費用にかかわらず、私はこの家を買います。

(R　　　) of the cost, I will buy this house.

64

128 According to the article, drinking green tea is good for your health.

記事によると、緑茶は健康に良いです。

129 Without a doubt, this is the right choice.

これが正しい選択であることは間違いありません。

130 I'm here to make a difference.

変化をもたらすためにここにいます。

131 All I want to do is learn and grow.

私がしたいのは学び成長することだけです。

132 You would agree that patience is a virtue, right?

忍耐は美徳だと同意しますよね？

133 I can assure you that the dog has been fed.

犬にエサをやったことを保証します。

134 Regardless of the cost, I will buy this house.

費用にかかわらず、私はこの家を買います。

(　　　)内にどの語を入れるとよいか考えましょう。

135 プロのアドバイスを求めるのが最善の方法だと思います。

I think the （first, best, worst） way is to seek professional advice.

136 より良い取引を交渉するために来ました。

I'm （hero, star, here） to negotiate a better deal.

137 私がしたいのはこのプロジェクトを成功させることだけです。

All I want to do（not, is, should） finish this project successfully.

※（　　）の後は動詞の原形ですが…

138 私が感じている唯一のことは感謝です。

The （best, first, only） thing I feel is gratitude.

※唯一！一番とかじゃなくてただ一つだけの花！！

139 ご注文が時間通りに到着することを保証します。

I can （stand, allow, assure） you that your order will arrive on time.

140 正直さが重要だと同意しますよね？

You would （thank, apology, agree） that honesty is important, right?

65

135 I think the best way is to seek professional advice.

プロのアドバイスを求めるのが最善の方法だと思います。

ask for advice と seek advice はどちらも「助言を求める」という意味で使われますが、ask for advice は、特定の人に直接助言や意見を求める場合に使われます。seek advice は、書籍、ウェブサイト、専門家など、さまざまな情報源からアドバイスを得ようとする場合に使われることが多いです。

136 I'm here to negotiate a better deal.

より良い取引を交渉するために来ました。

deal という言葉にはいくつかの意味がありますが、この文脈での deal は「取引」や「契約」という意味で使われています。negotiate a better deal とは「より良い取引を交渉する」という意味になります。

137 All I want to do is finish this project successfully.

私がしたいのはこのプロジェクトを成功させることだけです。

138 The only thing I feel is gratitude.

私が感じている唯一のことは感謝です。

gratitude は名詞で「感謝」という意味です。形容詞：grateful（感謝している）という形容詞もよく使います。 I am grateful for your help.（あなたの助けに感謝しています。）など

139 I can assure you that your order will arrive on time.

ご注文が時間通りに到着することを保証します。

on time は「定刻に」「時間通りに」という意味です。

140 You would agree that honesty is important, right?

正直さが重要だと同意しますよね？

(　　)内の語を入れ替えて正しい文を作りましょう。

141 科学者によると、気候変動は深刻な脅威です。

（ , / to / scientists / according）climate change is a serious threat.

※「，」がどこに入るか考えてみてください

142 困難にかかわらず、私はあきらめません。

（ , / of / challenge / regardless / the） I will not give up.

143 私がしたいのは家族を支えることだけです。

（I / my family/ all / want / do / is / support / to）.

※なんかたくさん動詞があるように見えますが…

144 専門的なアドバイスを提供するために来ました。

（expert / here / to / I'm / advice / provide）.

145 彼女のアドバイスは間違いなく信頼できます。

（, / you / a / can /without / trust / doubt） her advice.

146 夕食には時間通りに到着することを保証します。

I （can / I'll / on / time / assure / you / that / be） for dinner.

66

141 According to scientists, climate change is a serious threat.

科学者によると、気候変動は深刻な脅威です。

threat は「脅威」という意味です。security threat（セキュリティの脅威）、health threat（健康への脅威）、economic threat（経済的な脅威）などのように使うこともあります。

142 Regardless of the challenge, I will not give up.

困難にかかわらず、私はあきらめません。

この文脈での challenge は、「挑戦」や「困難」という意味です。

143 All I want to do is support my family.

私がしたいのは家族を支えることだけです。

144 I'm here to provide expert advice.

専門的なアドバイスを提供するために来ました。

expert advice は「専門家のアドバイス」や「専門的な助言」という意味です。

145 Without a doubt, you can trust her advice.

彼女のアドバイスは間違いなく信頼できます。

146 I can assure you that I'll be on time for dinner.

夕食には時間通りに到着することを保証します。

Chapter 7

非難とお断りのキモチをうまく伝える

🔊 67

Pattern 43

非難の気持ちを伝える型

You shouldn't have 〜-ed

〜するべきじゃなかった

You shouldn't have lied to her about your plans.

└ 過去分詞

彼女にあなたの計画について嘘をつくべきではなかった。

相手の行動が不適切、不必要、または間違っていたという考えやキモチを表すために使います。

このフレーズは相手への非難や批判のキモチを表します。これは、相手の言動が不適切だったという評価を伝えます。

もちろんそれだけでなく、相手が将来同じ過ちを犯さないようにアドバイスする意図でこのフレーズを使うこともあります。

場合によっては、将来的な問題やリスクから相手を守りたい、相手を保護しようとするキモチから使うこともあります。

例 You shouldn't have driven so fast in bad weather.

悪天候の中、そんなに速く運転するべきではなかった。

例 You shouldn't have promised if you couldn't commit.

約束を守れないなら、約束するべきではなかった。

これらの心理的背景が組み合わさって、話し手が相手の行動に対して持つ複雑な感情や態度を反映していることが多いです。

You だけではなく第三者を批判、非難する場合も同様に使えます。

例 He shouldn't have left early. （彼は早く去るべきではなかった。）

例 She shouldn't have spoken rudely.
（彼女は無礼に話すべきではなかった。）

Ⓐ I told everyone about your surprise party to get them excited.

Ⓑ You shouldn't have done that. It was supposed to be a surprise, and now it's ruined.

Ⓐ みんながわくわくするように、あなたのサプライズパーティーのことをみんなに話したよ。
Ⓑ そんなことすべきじゃなかったよ。サプライズのはずだったのに、今や台無しになってしまった。

Ⓐ I rearranged the furniture in the living room while you were out.

Ⓑ You shouldn't have done that without asking me first. I liked it the way it was.

Ⓐ あなたが外出中にリビングの家具を配置換えしましたよ。
Ⓑ 最初に私に聞くべきでした。前の配置の方が好きだったのに。
最初にウチに聞かんとそないなことすべきでなかった！

Ⓐ I bought you a gift to cheer you up!

Ⓑ You shouldn't have, but thank you so much. That's really thoughtful of you.

Ⓐ 元気づけるためにプレゼントを買ったよ！
Ⓑ そんなことしなくてもよかったのに、でも本当にありがとう。あなたはとても思いやりがあるね。

68

Pattern 44

んなワケないでしょ！の非難の型

can't have ◯-ed

◯したはずがない

過去分詞

You can't have seen him; he's out of town.

あなたが彼を見たはずがない。彼は町を出ているんだ。

過去のある行動が起こり得なかったと確信していることを強調したいときに使います。

「～したはずがない」と、ある出来事や行動が起こり得なかったという強い確信を持っているときに使います。

　自分の理解や情報が正しいと確信しており、その観点を周りと共有しようとしています。

例 She can't have missed the train; she left early.
彼女が電車に乗り遅れたはずがない。彼女は早く出発したもの。
→電車に乗り遅れた!? そんなワケあれへんやろ！テキトー言わんとって

例 They can't have heard us; we were whispering.
彼らが私たちの話を聞いたはずがない。私たちはささやいていた。

例 I can't have forgotten my keys; I remember locking the door.
私が鍵を忘れたはずがない。ドアに鍵をかけたことを覚えている。

多くのケースではこの表現の後に理由を強調します。

Ⓐ Do you think John forgot our meeting?

Ⓑ He can't have forgotten. He's always so organized.

organized：組織された、頭の中が整理された

Ⓐ ジョン、私たちの会議を忘れたと思う？
Ⓑ 忘れたはずがないよ。彼はいつもとてもちゃんとしてるから。

Ⓐ I heard Sara got the highest score on the test.

Ⓑ She can't have done that. She told me she didn't have time to study.

Ⓐ サラがテストで最高点を取ったって聞いたよ。
Ⓑ そんなはずないよ。彼女、勉強する時間がなかったって言ってたもん。

can't have not -ed と have not -ed、could not

ここで学んだ can't have -ed と混同しがちな表現に、have not -ed や could not があります。

have not -ed は、過去から現在にかけて、ある行動が行われていないことを単純に表します。単なる現在完了形の否定文ですね。

You have not seen him.　（あなたは彼を見たことがない）

これは、その行動がまだ行われる可能性があることを含んでいます。

can't have -ed では、「今話しているのよりも過去の話をするよ」という意味で can't の後に現在完了形を置きます。

過去の話だからと、can't have → couldn't にしてしまうと、単に過去「できなかった」の意味になります。

You couldn't see him.（あなたは彼を見ることができなかった）

69

Pattern 45

なんてもったいないの型

It's a waste to 〔動詞〕

〔動詞〕するなんてもったいない

It's a waste to throw away clothes that are still in good condition.

まだ良い状態の服を捨てるのはもったいない。

「もったいない」とムダ遣いを避けたい惜しむキモチ、資源や機会を有効に活用することの価値を強調しています。

このフレーズは、ある行動や資源を使うことがムダである、またはその価値を十分に活かせていない状況を表すのに使います。

この表現は、その行動やリソースがもっと有効に、または効率的に使われるべきだという意見や残念なキモチを伝えたいときに使うといいでしょう。

例 It's a waste to not use your vacation days.

休暇を使わないのはもったいない。

→休暇つこて楽しもう！

例 It's a waste to buy a new phone every year.

毎年新しい携帯を買うのはもったいない。

最近環境や社会に対する責任感から、持続可能な行動を促されることが欧米圏では特に多いです。自分の価値観や信念に基づいて、無駄を避ける生活スタイルを重視している現れでしょう。

Ⓐ I'm planning to skip the gym today even though I paid for a membership.

Ⓑ It's a waste to pay for something you're not using.

Ⓐ 会員登録しているけど、今日はジムを休もうと思っています。
Ⓑ 使っていないものにお金を払うのはもったいないですよ。

Ⓐ Are we eating out again tonight?

Ⓑ No, it's a waste to eat out again when we still have so much food in the fridge.

Ⓐ You're right, let's cook at home then.

Ⓐ 今夜も外食するの？
Ⓑ いいえ、冷蔵庫にまだたくさん食べ物があるのにまた外食するのはもったいないです。
Ⓐ そうだね、じゃあ家で料理しよう。

Don't 🏃、You should not 🏃とのキモチのちがい

It's a waste to は、ある行動がムダであるという意見やそれを惜しむキモチを表現する際に使い、聞き手に対してその行動を再考するよう促します。

It's a waste to throw away clothes.→もったいないし捨てんとおいたら

提案

Don't は直接的な禁止や強い勧告を示し、特定の行動をとるべきではないことを強調します。

Don't throw away clothes.→服を捨てたらあかんで

禁止

You should not は、何かをするべきではないという柔らかいアドバイスや推奨を表し、聞き手に最終的な判断を委ねる形を取ります。

You should not throw away clothes.→服を捨てへんほうがええよ

推奨

🔊 70

Pattern 46 がっかりしたの型

I'm disappointed about 🍎 / in 🍎

🍎に失望しました

I'm disappointed about the cancellation of our trip.

私たちの旅行がキャンセルされて失望しています。

さまざまな状況に対する「がっかり感」を表現しています。

期待しなければ失望も生まれません。たとえ相手の言動にがっかりしたときも、「お前が悪い」と you 主語にしないで「私は残念に思った」と I 主語で話すとコミュニケーションがこじれません。

例 I'm disappointed about the outcome of the meeting.
会議の結果に失望しています。

「失望している」を表す "disappointed" に続く前置詞は、失望の対象や文脈に応じて異なります。

disappointed in:

通常は人に対して使います。期待していた人の行動や性格、選択などに対する失望を表します。

例 I'm disappointed in you for not trying your best.
最善を尽くさなかったあなたにがっかりしています。

disappointed with:

物や状況、サービスなど、人以外に使うことが多いです。物やサービス、状況などが期待に応えなかったときの失望を表します。

例 She's disappointed with the quality of the product.

彼女は製品の品質に失望しています。

disappointed about:

特定の出来事や状況に対する失望を表します。一般的に、自分が直接コントロールできない外的なものごとに対して使います。

例 They are disappointed about the delay of the flight.

彼らはフライトの遅延に失望しています。

Ⓐ How do you feel about the new policy changes at work?

Ⓑ I'm disappointed about them. I was hoping for more positive changes.

Ⓐ 仕事の新しい方針変更についてどう思う？

Ⓑ それには失望しています。もっとポジティブな変化を期待していたんです。

Ⓐ Did you enjoy the movie last night?

Ⓑ Not really, I'm disappointed about the ending. It wasn't what I expected.

Ⓐ 昨夜の映画は楽しめた？

Ⓑ いいえ、あまり。結末にはがっかりでした。期待していたものとは違いました。

71

Pattern 47

礼儀正しく拒否する型

I'm afraid we can't agree on 🍎

🍎には合意できない恐れがあります

I'm afraid we can't agree on the deadline.

締め切りについては合意できない恐れがあります。

何かの問題や提案について同意に至らない状況を礼儀正しく伝えます。

あるトピックや提案に関して、相手と意見の相違があるとわかっているときは、直接的な拒絶よりも礼儀正しく丁寧な伝え方をするといいでしょう。

このフレーズではまず I'm afraid を使うことで、優しく、しかし明確に OK ではないことを表明します。単純に拒絶するのではなく、相手と対話を続けて、可能な解決策を探す意向を持っていると示すことができます。

例 I'm afraid we can't agree on the hiring decision.
採用の決定については合意できない恐れがあります。

例 I'm afraid we can't agree on the design for the new logo.
新しいロゴのデザインについては合意できない恐れがあります。

根本的には適切な合意に到達することを望むキモチがありながらも、現時点ではその問題について合意に至っていないことを伝えるものです。

Ⓐ Should we go to the beach for our vacation?

Ⓑ I'm afraid we can't agree on the destination. I prefer the mountains.

Ⓐ How about we visit a place with both a beach and mountains?

Ⓑ That sounds like a great idea!

Ⓐ 私たちの休暇でビーチに行くのはどう？
Ⓑ 行き先を合意するのは難しいかもしれないね。私は山が好きだもの。
Ⓐ ビーチと山の両方がある場所に行くのはどうかな？
Ⓑ それは素晴らしいアイデアだね！

Ⓐ What movie should we watch tonight?

Ⓑ I'm afraid we can't agree on the movie choice. I want to watch a comedy, but you prefer a thriller.

Ⓐ How about a movie that has both comedy and thriller elements?

Ⓑ That sounds like a good compromise. I agree!

Ⓐ 今夜はどの映画を観るべきだろう？
Ⓑ 映画の選択については意見が合わないかもしれないね。私はコメディが見たいけど、あなたはサスペンスが好きだから。
Ⓐ コメディとスリラーの両方がある映画はどう？
Ⓑ それは良い妥協案だね。賛成！

72

Pattern 48 期待通りでないときにも寄り添う型

I regret to say that ○○

残念ながら○○

I regret to say that I won't be able to attend.

残念ながら、私は出席できません。

これから相手に伝える出来事が否定的または望ましくないことに対して、個人的な遺憾や同情を示すときに使える表現です。

このフレーズからは、「伝える内容が受け手にとって望ましくないかもしれない」とわかっていて、そのことを慎重に伝えようとしている姿勢が感じられます。

悪いニュースを伝える際にも礼儀を保ち、受け手のキモチに配慮していることを示します。また、このフレーズは、伝えることに責任を感じており、その状況を軽減するために何らかの形で関わりたいという意欲を受け手に感じさせます。

過去の結果

例 I regret to say that the results were not as expected.
残念ながら、結果は期待通りではありませんでした。

決まっていること

例 I regret to say that we cannot approve your request.
残念ながら、あなたのリクエストを承認することはできません。

Ⓐ Will you be able to attend my birthday party next Saturday?

Ⓑ I regret to say that I can't make it. I have a family commitment that day.

Ⓐ 来週の土曜日に私の誕生日パーティーに来られますか？
Ⓑ 残念ながら行けないんです。その日は家族との予定があります。

Ⓐ Have you finished the report that's due tomorrow?

Ⓑ I regret to say that I haven't. I've been swamped with other work.

Ⓐ 明日締め切りのレポートは終わりましたか？
Ⓑ 残念ながらまだです。他の仕事でとても忙しかったんです。

感じのいい「受け止め方」

「残念ながら～」と言われて、「あっ、そう」なんて返事をするのは感じが悪いですよね。オススメは以下のような受け止め方です。

I regret to say that the event has been canceled.
残念ながら、イベントは中止になりました。
That's unfortunate.　それは残念です。

I regret to say that the product is out of stock.
残念ながら、その商品は在庫切れです。
That's a pity.　それは残念です。

I regret to say that the price has increased.
残念ながら、価格が上がりました。
That's unexpected.　それは予想外です。

I regret to say that the deadline has passed.
残念ながら、締め切りは過ぎています。
I understand.　わかりました。

Pattern 49

やんわり拒否する型

I'm not very fond of 🍎

あまり🍎が好きではありません

I'm not very fond of spicy food.

辛い食べ物はあまり好きではありません。

何かがあまり好きではない、または特に興味や好意がないことを穏やかに伝える際に使うフレーズです。

直接的な否定や強い嫌悪感ではなく、より柔らかく、社交的に受け入れられやすい方法で好みやキモチを表現することができます。

特定の事柄に対して強烈な反感を持っておらず、それに対する特別な好意や関心もないことを示すこともあります。

例 I'm not very fond of **crowded places.**

混雑した場所はあまり好きではありません。

→ゴミゴミしたとこ苦手…できれば行きたない…

例 I'm not very fond of **classical music.**

クラシック音楽は特に好きではありません。

→ぶっちゃけ関心あれへんねんな…誘わんとってや…

社交的な状況や会話の中で、他人のキモチを尊重し、衝突を避けるために礼儀正しく表現する意図が反映されています。

I hate 🍎との言い方の違い

I hate 🍎は比較的強い表現で、特に強い嫌悪感や反感を表す際に使います。このフレーズは感情的で直接的な否定を示し、話し手の強烈な不満や不快感を明確に伝えます。

そのため、相手の目には攻撃的または過激に映り、聴き手によっては不快感や反発を引き起こす可能性があります。

特にフォーマルな場や繊細な社会的状況では、I hate 🍎は避けるか、より穏やかな表現に置き換えることが望ましいです。

文脈や聴き手の感情を考慮し、I don't like 🍎や I'm not fond of 🍎のような、より穏やかな言い回しを使うようにしましょう。

意見を表明しつつも、相手への敬意を保ち、より建設的なコミュニケーションを促せます。

Ⓐ Do you want to go see a horror movie tonight?

Ⓑ I'm not very fond of horror movies. They make me too scared. How about a comedy instead?

Ⓐ 今夜、ホラー映画を観に行くのはどう？
Ⓑ ホラー映画はあまり好きじゃないんだ。怖すぎる。コメディ映画はどう？

Ⓐ Shall we order sushi for dinner?

Ⓑ I'm not very fond of sushi, actually. I prefer something cooked.

Ⓐ 夕食に寿司を注文しようか？
Ⓑ 実は寿司はあまり好きじゃないんだ。焼いたり煮たりしたものの方がいいな。

74

Pattern

50 I can't stand 

ムリ！とお断りする型

🍎が我慢できません

I can't stand sitting in traffic for hours.

数時間渋滞にはまるのが本当に耐えられません。

話し手が、ある状況や行動に対して強い不快感や苛立ちを感じていることを表現しています。ダイレクトな表現ですね。

ある事柄や状況に対して非常に強い不快感や嫌悪感を持っていることを表したいときに使う表現です。単なる不満を越える深い反感を示します。

例 I can't stand the smell of cigarettes.
タバコのにおいが本当に耐えられません。

例 I can't stand when people talk during movies.
映画の間に話す人が本当に耐えられません。

例 I can't stand loud music at night.
夜に大音量の音楽なんて本当に耐えられません。

これは物理的な不快さだけでなく、感情的な不快さを示すこともあります。単に好きではないというレベルを超え、その事柄を避けたい、関わりたくないという強い願望を表しています。

まさに拒絶ですね。

例 I can't stand doing the same thing every day.
毎日同じことをするのには耐えられません。

例 I can't stand the heat in the summer.
夏の暑さには耐えられません。

例 I can't stand people who are always late.
いつも遅れる人たちには我慢できません。

Ⓐ Why don't you ever eat mushrooms?

Ⓑ I can't stand the texture. They're too slimy for me.

Ⓐ どうしてキノコを食べないの？
Ⓑ 食感が耐えられないんだ。ヌメヌメしていて私には無理だよ。

Ⓐ Do you like going to parties?

Ⓑ No, I can't stand the small talk.

Ⓐ パーティーに行くのは好きですか？
Ⓑ いや、世間話が苦手なんです。

1つ、使用上の注意があります。相手の言動に腹が立ったときにも I can't stand you. と面と向かって使わずに I can't stand it. で抑えておきましょう。誰だって、「お前腹立つわ」と言われるより行為を批判された方がまだマシですから。

Pattern 丁重に誘いを断る型

51 I wish I could ○○, but ○○○
○○したいのはやまやまですが○○○です

I wish I could join you for dinner, but I already have plans.

夕食に参加できたらいいのにと思いますが、
すでに予定があります。

相手の提案に興味や意欲を示しつつ、実際にはそれを実行できない現実の制約や障害があることを伝える際に使います。

このフレーズは、拒否する状況にあっても礼儀正しさと敬意を保つのに効果的です。

相手の要求や提案を価値あるものととらえ、同時に自分の立場や立場上できないこと、やりづらいことを明確にしています。このように伝えると、提案をお断りしても理解し合える、いい関係を維持するのに役立ちます。

ココは会話の中で既に出た内容なら言わなくてOK

例 I wish I could buy that dress, but it's out of my budget.
そのドレスを買いたいのはやまやまですが、予算オーバーです。

例 I wish I could watch the game with you, but I have to study for an exam.
あなたと一緒に試合をぜひ見たいのですが、試験の勉強をしなければなりません。

→あなたと試合は観戦できまへん。残念!

また、I wish I could , but はしばしば、話し手が相手の要求に応えたいという強い願望を持っているけれど、何らかの制約があって不可能であることを示します。

この表現は通常、丁寧さや誠実さを伴い、話し手が助けたいまたは関与したいキモチを持っていることを示しています。

Ⓐ Are you going to the concert tonight?

Ⓑ I wish I could, but I have to finish this report by tomorrow.

Ⓐ 今夜、コンサートに行くの？
Ⓑ 行きたいんだけど、明日までにこのレポートを仕上げないといけないんだ。

Ⓐ Would you like to join us for lunch?

Ⓑ I wish I could, but I have a doctor's appointment at that time.

Ⓐ 私たちと一緒に昼食に行きませんか？
Ⓑ 行きたいんですが、その時間には医者の予約が入っているんです。

「行けない」「できない」と言ったその後に簡単に理由を説明することがポイントですね。

ちなみに日本だと「ごめんなさい」といった言葉を挟みがちですが、英語では「ごめん」よりもこのような「残念」がよく使われます。

🔊76

Pattern 懸念を示しておく型

52 I have some reservations about 🍎

🍎には懸念があります

I have some reservations about this plan.

この計画についていくつか懸念があります。

何かのアイデア、計画、または提案に対して懸念や疑問があることを慎重に伝える際に使います。

この表現はあなたが、示された提案に対して完全には OK のキモチを持てていないことを示します。あなたが持っている疑問や不安、懸念を表明するための手段であり、より慎重なアプローチをとりたいという意向を無難に伝えることができます。

reservation は、ホテルや座席の「予約」という意味で旅行中などよく使いますが、ここでは「ちょっと保留」のような意味です。

例 I have some reservations about the menu.
そのメニューについていくつか懸念があります。
→ちょっとそのまま出すわけにはいかへんよね…

例 I have some reservations about changing jobs.
転職についていくつか懸念があります。
→いろいろ不安なんよ…

I have some reservations about 🍎を使うと、あなたがより多くの情報に基づいた意思決定を行いたいと考えていることを示すことになり、それは合理的で思慮深い態度だと見なされます。

Ⓐ This weekend's camping trip sounds fun, but the weather might not be great.

Ⓑ I have some reservations about going. I don't want to be stuck in the rain.

Ⓐ 今週末のキャンプは楽しそうだけど、天気が良くないかもしれないね。
Ⓑ 行くことに少し懸念があるな。雨に降られてしまうのは嫌だから。

Ⓐ I'm thinking about signing up for an online course.

Ⓑ I have some reservations about that. Are online courses as effective as in-person classes?

Ⓐ オンラインコースに申し込もうと思ってるんだ。
Ⓑ それについては少し懸念があるな。オンラインコースって対面授業と同じくらい効果的なのかな？

この会話のように、I have some reservations about 🍎で懸念を示す際には、その理由も伝えることで、単なる言いっぱなしにならず、コミュニケーションがよりスムーズになります。

In a way,

ある意味

このフレーズは話されている事柄が完全には当てはまらないが、ある程度は正しいというニュアンスを含んでいます。また、議論がこんがらがってしまったときに、より柔軟な視点を提供するために使うこともあります。

In a way, you're right, but there are other factors to consider.
ある意味であなたは正しいが、考慮すべき他の要因もあります。

このフレーズは、全面的な同意や反対ではなく、部分的な合意や特定の視点からの賛同を示すのに適しています。

In a way, I can understand why he's upset.
ある意味で、彼がなぜ怒っているのか理解できます。

In a way, this job is a good opportunity for me.
ある意味で、この仕事は私にとって良い機会です。

In a way, we're all responsible for what happened.
ある意味で、私たちは皆、起こったことに責任があります。

話し手が、完全には同意しないけれど、ある程度は理解や共感を示す場合にも、このフレーズを使います。

( )内に入る単語を考えましょう。

147 お金を貸してあげたいのはやまやまなんですが、今は手持ちが少ないんです。

I (w) I could lend you the money, but I'm short on cash right now.

※やまやまです→そのキモチはたくさんあるけれど実際にはしない展開

148 残念ながら、私たちの予算が削減されました。

I (r) to say that our budget has been cut.

149 勤務スケジュールについては合意できない恐れがあります。

I'm afraid we can't (a) on the work schedule.

150 誰も部屋にいないのに電気をつけたままにするのはもったいない。

It's a (w) to leave the lights on when no one is in the room.

※主語はIではなくItです。

151 猫が魚を食べたはずがない。まだボウルに入っている。

The cat (c) have eaten the fish; it's still in the bowl.

152 約束を守れないなら、約束するべきではなかった。

You (s) have promised if you couldn't commit.

77

147 I wish I could lend you the money, but I'm short on cash right now.

お金を貸してあげたいのはやまやまなんですが、今は手持ちが少ないんです。

short on cash の意味は「現金が不足している」または「お金が足りない」ということです。

148 I regret to say that our budget has been cut.

残念ながら、私たちの予算が削減されました。

149 I'm afraid we can't agree on the work schedule.

勤務スケジュールについては合意できない恐れがあります。

150 It's a waste to leave the lights on when no one is in the room.

誰も部屋にいないのに電気をつけたままにするのはもったいない。

leave the lights on の意味は「電気をつけたままにしておく」ということです。
反義語は turn the lights off（電気を消す）です。

151 The cat can't have eaten the fish; it's still in the bowl.

猫が魚を食べたはずがない。まだボウルに入っている。

152 You shouldn't have promised if you couldn't commit.

約束を守れないなら、約束するべきではなかった。

（　　　）内に入る単語を考えましょう。

153 あなたのパーティーに行きたいのですが、家族の用事があります。

I (w　　　) I (c　　　) come to your party, but I have a family commitment.

※パーティーに行けないことをさりげなく断っている

154 お気に入りのチームのひどい成績に失望しています。

I'm (d　　　) (a　　　) the poor performance of my favorite team.

155 その旅行についていくつか懸念があります。

Ihave (s　　　) (r　　　) aboutthetrip.

※保留事項がいくつかあります

156 数時間もの間、交通渋滞に巻き込まれるのは耐えられません。

I (c　　　) (s　　　) being stuck in traffic for hours.

157 過ちから学ばないのはもったいない。

It's a (w　　　) (t　　　) not learn from your mistakes.

158 プロジェクトの予算については合意できない恐れがあります。

I'm (a　　　) we can't (a　　　) on the budget for the project.

78

153 I wish I could come to your party, but I have a family commitment.

あなたのパーティーに行きたいのですが、家族の用事があります。

a family commitment とは、家族に関連する責任や義務を指します。たとえば、家族のイベントに出席したり、家族の世話をしたりすることです。commitment とは一般的に、何かをするという約束や献身を意味します。

154 I'm disappointed about the poor performance of my favorite team.

お気に入りのチームのひどい成績に失望しています。

poor の意味は「悪い」「劣る」ということです。disappointing（失望させる）、unsatisfactory（不満足な）、mediocre（平凡な）などと置き換えることができます。

155 I have some reservations about the trip.

その旅行についていくつか懸念があります。

156 I can't stand being stuck in traffic for hours.

数時間もの間、交通渋滞に巻き込まれるのは耐えられません。

stuck は stick（行き詰まらせる、動けなくさせる）の過去分詞。be stuck で人や車が「動けなくなる」の意味です。

157 It's a waste to not learn from your mistakes.

過ちから学ばないのはもったいない。

Learn from experience（経験から学ぶ）、Learn from others（他人から学ぶ）、Learn from the past（過去から学ぶ）も頻出表現ですね。

158 I'm afraid we can't agree on the budget for the project.

プロジェクトの予算については合意できない恐れがあります。

(　　　)内にどの語を入れるとよいか考えましょう。

159 いつも遅れる人が本当に耐えられません。

I can't (afraid, get, stand) people who are always late.

160 イベントの場所については合意できない恐れがあります。

I'm (afraid, worried, sad) we can't agree on the location for the event.

※どれも心配、不安…の意味ですが、ココでふさわしいのは…

161 希望していた昇進が得られなかったことに失望しています

I'm (sory, apologied, disappointed) about not getting the promotion I wanted.

162 長距離運転はあまり好きではありません。

I'm not very (lucky, fond, good) of driving long distances.

※大嫌い、我慢できない！というほどでもない

163 彼がこのレポートを書いたはずがない。彼の書き方とは違う。

He (can't, won't, don't) have written this report; it's not his style of writing.

164 別の仕事が決まっていないのに、その仕事を辞めるべきではなかった。

You (should, wouldn't, shouldn't) have left the job without having another one lined up.

79

159 I can't stand people who are always late.

いつも遅れる人が本当に耐えられません。

be late は「遅れる」や「遅刻する」という意味で、be late for the meeting のように具体的な対象を置く場合、通常 for が前置詞として置かれます。

160 I'm afraid we can't agree on the location for the event.

イベントの場所については合意できない恐れがあります。

trust と believe は似ている意味を持つ動詞ですが、trust は「信頼性」や「頼りにする」という感覚を強調し、believe は「真実であると受け入れる」という感覚を強調します。

161 I'm disappointed about not getting the promotion I wanted.

希望していた昇進が得られなかったことに失望しています。

get the promotion の意味は「昇進する」または「昇格する」です。

162 I'm not very fond of driving long distances.

長距離運転はあまり好きではありません。

drive long distances は「長距離を運転する」という意味です。travel long distances by car（車で長距離を移動する）、go on long drives（長距離ドライブに行く）、take long road trips（長距離のロードトリップをする）と言い換えることも可能です。

163 He can't have written this report; it's not his style of writing.

彼がこのレポートを書いたはずがない。彼の書き方とは違う。

164 You shouldn't have left the job without having another one lined up.

別の仕事が決まっていないのに、その仕事を辞めるべきではなかった。

(　　)内の語を入れ替えて正しい文を作りましょう。

165 プロジェクトの完了が遅れていることに失望しています。

I'm (about / in / disappointed / the delay) the project's completion.

166 リサイクルできるのにしないのはもったいない。

(not / a / to / when / waste / recycle / it's) you can.

※ not が入る位置に注意！！

167 休暇を取りたいのですが、仕事を休むことができません。

I (take / wish / I / could / a vacation / , / but) I can't get time off work.

168 契約の条件については合意できない恐れがあります。

(can't / I'm / we / afraid / agree / on) the terms of the contract.

169 混雑した場所にいるのが本当に耐えられません。

(being / in / stand / can't / I) crowded places.

170 残念ながら、あなたのリクエストを承認することはできません。

(I / say / we / to / that / cannot / regret) approve your request.

※残念ながら…

80

165 I'm disappointed about the delay in the project's completion.

プロジェクトの完了が遅れていることに失望しています。

the delay in は「〜の遅延」という意味です。the delay in delivery（配達の遅延）、the delay in construction（工事の遅延）、the delay in the launch（発売の遅延）のように使われます。

166 It's a waste to not recycle when you can.

リサイクルできるのにしないのはもったいない。

not の位置は文の意味に大きく影響します。例えば、It's a waste not to recycle when you can.（リサイクルできるのにしないのは無駄です。）、It's not a waste to recycle when you can.（リサイクルできるときにするのは無駄ではありません。）これらの文は、not の位置が異なるため、意味が大きく変わります。

167 I wish I could take a vacation, but I can't get time off work.

休暇を取りたいのですが、仕事を休むことができません。

get time off work は、「仕事を休む時間を確保する」という意味です。類語としては、take time off work や have time off work という表現も使われます。

168 I'm afraid we can't agree on the terms of the contract.

契約の条件については合意できない恐れがあります。

terms は、「条件」「取り決め」という意味です。

169 I can't stand being in crowded places.

混雑した場所にいるのが本当に耐えられません。

being は、be の動名詞です。この文では、「crowded places にいること」を表しています。

170 I regret to say that we cannot approve your request.

残念ながら、あなたのリクエストを承認することはできません。

approve は、「承認する」という意味です。approve a proposal や approve a plan などのように使われます。

Chapter 8

お願いごともスマートに

🔊 81

Pattern 53

相手を尊重しながら依頼する型

Could you possibly 〇〇

よかったら〇〇していただけますか

Could you possibly check this report for errors?

このレポートに誤りがないか確認していただけますか？

依頼や質問をする際に、より丁寧な表現をするために使います。

このフレーズは、相手に敬意を示し、相手の意見や都合を尊重するキモチを持っていることを表します。また、直接的な命令や要求ではなく、相手が拒否する余地を残すので、コミュニケーションの上で緊張を和らげる役割も果たします。

例 Could you possibly open the window?
窓を開けていただけますか？

例 Could you possibly send me the document by email?
メールでその文書を送っていただけますか？

このような表現は、特に英語圏の文化において、礼儀正しさや思いやりのあるコミュニケーションを重視する傾向があるため、よく用いられます。

Ⓐ Could you possibly help me with this math problem?

Ⓑ Of course, let's take a look together.

Ⓐ この数学の問題を手伝っていただけますか？
Ⓑ もちろんです、一緒に見ましょう。

Ⓐ Could you possibly lend me your charger? Mine just broke.

Ⓑ Sure, just make sure to return it later today.

Ⓐ 充電器を貸していただけますか？ 私のが壊れてしまいました。
Ⓑ いいですよ、ただ今日のうちに返してくださいね。

Ⓐ Could you possibly turn down the music a bit? I'm studying.

Ⓑ No problem, I'll do it right now.

Ⓐ 音楽の音量を少し下げていただけますか？ 勉強中なんです。
Ⓑ 問題ありません、すぐに下げますね。

直接的で失礼に聞こえる依頼の例

"Give me a hand with my work."（仕事を手伝え。）
"Drive me to the airport."（空港まで乗せて行け。）
"Review this report now."（今すぐこのレポートをレビューしろ。）
"Tell me how to get to the library."（図書館への行き方を教えろ。）
"Lend me some money."（お金を貸せ。）

これらの表現は、「please」を加えることで多少は柔らかくなりますが、それでも「Could you possibly ～」のような余地を残さないので、直接的で強制的な印象を与えがちです。不適切または失礼と見なされる可能性があるため、注意が必要ですね。

🔊 82

Pattern 54

控えめにお願いする型

I was wondering if you could 🏃

🏃していただけないかと思っています

I was wondering if you could give me a ride to the station.

駅まで乗せてもらえないかと思っています。

相手への敬意を示し、依頼をより優しく、押しつけがましくないように行うために使う表現です。

I was wondering if you could 🏃は、相手に何かを依頼する際に使う表現で、礼儀正しく、控えめに頼みごとをする際に適しています。前項の Could you possibly よりも、より優しく、遠慮がちな雰囲気が出ます。

例 I was wondering if you could share your notes from the meeting.

会議のメモを共有してもらえないかと思っています。

例 I was wondering if you could help me with this report.

このレポートで手伝ってもらえないかと思っています。

このフレーズを使う心理的背景には、以下のような要素が含まれます：

礼儀と敬意：控えめな表現を用いることで、相手に敬意を示し、頼みごとをする際の直接的すぎる圧力を避けています。
柔軟な態度：相手が拒否する可能性を考慮し、要求ではなく依頼として表現しています。
協力の求め：相手に対して協力を求める際に、対話的で協調的な姿勢をとっています。
相手の立場や状況の尊重：相手が依頼を受け入れることが可能かどうかを慎重に考慮しています。

このように、I was wondering if you could は柔軟性があり、さまざまな状況で使われる便利なフレーズです。相手に圧力をかけずに要求を伝えることができるため、社交的な場面やビジネスのコミュニケーションで非常に役に立ちます。

Ⓐ I was wondering if you could help me with something.

Ⓑ Sure, what do you need?

Ⓐ I was wondering if you could review my presentation slides and give me some feedback.

Ⓑ Absolutely, I'd be happy to. Just send them over.

Ⓐ ちょっと手伝ってもらえないかと思ってるんだけど。
Ⓑ もちろん、何が必要？
Ⓐ プレゼンテーションのスライドを見て、フィードバックをもらえないかと思っているんだ。
Ⓑ もちろん、喜んで手伝うよ。送ってくれればいい。

Pattern 55

コレせんとえらいことになるでの型

It will be troublesome if you don't 🏃

🏃しないと面倒なことになります

It will be troublesome if you don't follow the instructions.

説明に従わないと面倒なことになりますよ。

それが実行されない場合に、不便や問題が発生することを伝えるフレーズです。
軽い警告が入っています。

この表現は、「〜しないと面倒なことになりますよ」という意味で、相手に何かをしてもらわないと困る、または問題が生じるときに使います。

相手に行動を促すために、軽い警告として使うことがあります。しかし、命令的な表現よりも柔らかく、間接的です。問題が生じる可能性を示唆することで、相手に行動を促す目的があります。

例 It will be troublesome if you don't finish your homework on time.

宿題を時間内に終わらせないと面倒なことになりますよ。

→早ぅ宿題しとき!

例 It will be troublesome if you don't back up your data regularly.

定期的にデータをバックアップしないと面倒なことになりますよ。

心理学的にも相手の不快をイメージさせることで、不快を免れたいという心理を駆り立てることは効果的だとされています。上手に不快をイメージさせて相手を動かしたいときにシュッと使える表現だと思います。

Ⓐ I think I'm going to skip the meeting tomorrow. It doesn't seem important.

Ⓑ It will be troublesome if you don't attend. The boss wants everyone's input on the new project.

Ⓐ Really? I didn't know that.

Ⓐ 明日の会議はパスしようかな。大事じゃなさそうだし。
Ⓑ 会議に出ないと後々困るよ。上司は新しいプロジェクトについてみんなの意見を聞きたいって。
Ⓐ 本当？知らなかったよ。

Ⓐ I accidentally broke Mom's favorite vase. I'm thinking of saying it was already like that when I found it.

Ⓑ I know you're scared, but it will be troublesome if you don't tell the truth. Mom will appreciate your honesty more than anything.

Ⓐ You're right. I'll tell her what happened.

Ⓐ 僕、うっかりお母さんのお気に入りの花瓶を壊しちゃったんだ。見つけたときには、もうそうなっていたって言おうかと思ってる。
Ⓑ 君が怖いのはわかるけど、本当のことを言わないと後で困るよ。お母さんは何よりも君の正直さを評価してくれるはずだよ。
Ⓐ そうだね、何があったか伝えるよ。

Pattern **56** やんわり催促する型

I was wondering if you had a chance to

する機会があったかどうか、気になっています

I was wondering if you had a chance to make the reservation.

予約をする機会があったかどうか、気になっています。

→ジブン予約したよね？　してないん？　早ぅ教えて！

やんわりと、依頼やお願いしてあったことを催促、確認するために使うフレーズです。

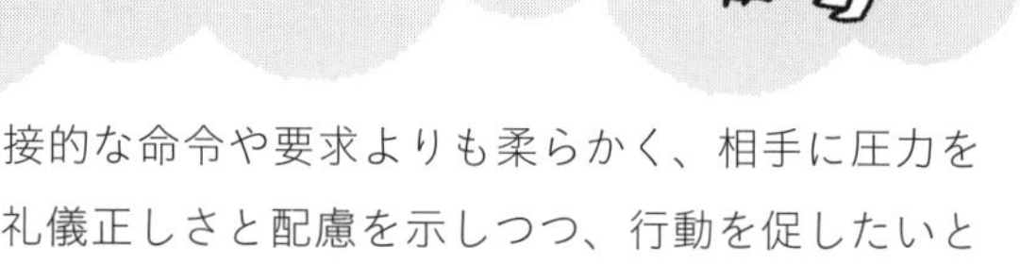

この表現は、直接的な命令や要求よりも柔らかく、相手に圧力をかけることなく、礼儀正しさと配慮を示しつつ、行動を促したいときに使う一般的なフレーズです。

例 I was wondering if you had a chance to review the report.

レポートを見直す機会があったかどうか、気になっています。

→見直したよね？　さっさと見直さなあかんでしょ！

例 I was wondering if you had a chance to look at my email.

私のメールを見る機会があったかどうか、気になっています。

→全然返信ないんやけど。見てへんっちゅうこと？？見て返事しー！

行動がまだ行われていないなら、それを行うよう婉曲的に促す効果があります。しかし、このフレーズは直接的な命令よりもはるかに優しく、相手の立場や状況を尊重するニュアンスを持っています。

Ⓐ Hey, I was wondering if you had a chance to look at the document I sent you last week.

Ⓑ Oh, I'm sorry, I've been really busy. But I'll make sure to check it by tomorrow.

Ⓐ No problem, I just wanted to make sure it doesn't get overlooked. Thanks!

make sure to：必ず〜する
get overlooked：見過ごされる

Ⓐ こんにちは、先週送った文書を見ていただけたかなと思いまして。
Ⓑ ああ、すみません、忙しかったんです。でも、明日までには確認しますね。
Ⓐ 問題ありません、見落とされないように確認したかっただけです。ありがとう！

この会話では、ⒶはⒷに対して、以前に送った文書を確認する機会があったかどうかを優しく尋ねています。この表現は、Ⓑに圧力をかけることなく、文書の確認を促しています。

Ⓐ I was wondering if you had a chance to read the book I recommended last week.

Ⓑ Not yet, I've been quite busy. But it's on my list, and I plan to start it soon.

Ⓐ 先週おすすめした本、読む機会はあったかな？
Ⓑ まだ読んでいないんだ、最近忙しかったんだ。でもリストに入れていて、近いうちに読む予定だよ。

85

Pattern 57

～せん限り、できまへんでの型

We can't do it unless ●●●

●●●しない限り、それはできませんね

We can't do it unless we get more funding.

より多くの資金が得られない限り、それを行うことはできません。

（ムリなもんはムリやし！ 金出してくれるなら別やけど）

特定の条件が満たされなければ、ある行動やプロジェクトを進めることができないという状況を表現したい場合に使います。

必要な要件や前提条件が満たされない限り目標を達成することができないという危機感を伝えたいときに効果的なフレーズですね。

あなたが行動には特定の条件や要素が必要であると感じていることを示しています。

例 We can't do it unless we have more time.

もっと時間がない限り、私たちはそれを行うことはできません。

→ちょっと待っててくれへんかな

例 We can't do it unless the weather improves.

天候が改善しない限り、それを行うことはできません。

→お天道さん次第やねぇ、悪いけど

例 **We can't do it unless everyone agrees.**

みんなが同意しない限り、それを行うことはできません。

→全員賛成じゃないならやめよか／早ぅみなさん同意してくださいよ

We can't do it unless を使うと、条件に基づいたアクションが相手にも見えやすくなり、それを達成するための具体的なステップや解決策をともに探ることができます。

Ⓐ Do you think we can finish this report by tomorrow?

Ⓑ We can't do it unless everyone stays late today to help.

Ⓐ 明日までにこのレポートを終わらせることができると思いますか？

Ⓑ 今日みんなが遅くまで残って手伝わないと無理ですね。

Ⓐ I really want to go to that concert next month.

Ⓑ We can't do it unless we buy the tickets soon. They're selling out fast.

Ⓐ 来月のそのコンサートに本当に行きたいな。

Ⓑ すぐにチケットを買わなければ行けません。チケットがすぐに売り切れそうです。

相手がとろける前フリ言葉

That's partially true, but ...

譲歩しつつ反論する

相手の意見に一定の認識を示しながらも、より広い範囲の視点や追加の情報を与えたいときに有効です。相手の意見を完全に否定するのではなく、それに対して建設的なフィードバックを与える方法です。

That's partially true, but there's more to it.
それは部分的には正しいけど、もっと他にもあるんだ。

That's partially true, but we should check the facts.
それは部分的には正しいけど、事実を確認すべきだ。

That's partially true, but let's consider other opinions.
それは部分的には正しいけど、他の意見も考慮しよう。

That's partially true, but it's not the whole story.
それは部分的には正しいけど、全体の話ではない。

このようなアプローチは、対話を促し、それぞれの視点を尊重する姿勢を示します。

また、That's partially true, but... は、複雑な問題に対して話し手が深い理解を持っていることを示し、議論をより詳細なレベルへと導きます。

(　　)内に入る単語を考えましょう。

171 この概念について説明してもらえないかと思っています。

I was (w　　　　) if you could explain this concept to me.

172 それは部分的には正しいけど、将来のことを考えよう。

That's (p　　　　) true, but let's think about the future.

173 駅まで車で送っていただけますか？

Could you (p　　　　) give me a ride to the station?

※可能ならば…という副詞

174 もっとスタッフを雇わない限り、それを行うことはできません。

We can't do it (u　　　　) hire more staff.

※条件をつきつけて「やらない」宣言をしています

175 借りたものを期限内に返さないと面倒なことになりますよ。

It will be (t　　　　) if you don't return borrowed items on time.

176 スケジュールを確認する機会があったかどうか、気になっています。

I was wondering (i　　　　) you had a chance to check the schedule.

86

171 I was wondering if you could explain this concept to me.

この概念について説明してもらえないかと思っています。

explain コト to 人は、「誰かに何かを説明する」という意味の表現です。

172 That's partially true, but let's think about the future.

それは部分的には正しいけど、将来のことを考えよう。

173 Could you possibly give me a ride to the station?

駅まで車で送っていただけますか？

give someone a ride は、「誰かを車で送る」という意味の表現です。イギリス英語では、同様の意味を表現する際には give someone a lift という表現がよく使われます。

174 We can't do it unless we hire more staff.

もっとスタッフを雇わない限り、それを行うことはできません。

175 It will be troublesome if you don't return borrowed items on time.

借りたものを期限内に返さないと面倒なことになりますよ。

on time は、「時間どおりに」「予定通りに」という意味です。

176 I was wondering if you had a chance to check the schedule.

スケジュールを確認する機会があったかどうか、気になっています。

（　　）内に入る単語を考えましょう。

177 ペットの後始末をしないと大変なことになりますよ。

It will be （t　　　　）（i　）you don't clean up after your pet.

※散歩中に粗相をされた家の人が脅しをかけている

178 私が貸した本を読む機会があったかどうか、気になっています。

I was （w　　　） if you had a （c　　　） to read the book I lent you.

※貸した本を読んだやろ、読んでへんの？と迫りたいキモチを抑えています

179 みんなが同意しない限り、それを行うことはできません。

We （c　　　） do it （u　　　　） everyone agrees.

180 この週末、私の猫の世話をしてもらえないかと思っています。

Iwas（w　　　　）（i　　　）youcould take care of my cat this weekend.

181 それは部分的には正しいけど、もっと情報が必要だ。

That’s （p　　　　）（t　　　）, but we need more information.

182 このレポートに誤りがないか確認していただけますか？

（C　　　） you （p　　　　） check this report for errors?

87

177 It will be troublesome if you don't clean up after your pet.

ペットの後始末をしないと大変なことになりますよ。

feedback は名詞で、receive feedback（フィードバックを受け取る）、seek feedback（フィードバックを求める）、gather feedback（フィードバックを集める）のような動詞とくっつきます。

178 I was wondering if you had a chance to read the book I lent you.

私が貸した本を読む機会があったかどうか、気になっています。

lent は、lend の過去形で、「貸した」という意味です。

179 We can't do it unless everyone agrees.

みんなが同意しない限り、それを行うことはできません。

everyone は「全員」または「すべての人」を指し、特定のグループ内のすべての個人をさします。

180 I was wondering if you could take care of my cat this weekend.

この週末、私の猫の世話をしてもらえないかと思っています。

take care of の意味は「世話をする」「面倒を見る」です。Please take care of your health.（健康に気をつけてください。）という表現でも見かけます。

181 That's partially true, but we need more information.

それは部分的には正しいけど、もっと情報が必要だ。

information は不可算名詞なので、通常「情報」という言葉は単数形で使われ、複数形はありません。

182 Could you possibly check this report for errors?

このレポートに誤りがないか確認していただけますか？

check 🍎 for は、「～を確認する」「～を調査する」という意味で使い、Check the package for damages だとパッケージを損傷がないか確認する意味です。

(　　　)内にどの語を入れるとよいか考えましょう。

183 それは部分的には正しいけど、別の角度から見よう。

That's partially (right, true, correct) but let's look at it differently.

※間接的に、相手の見方が一面的だと言っています

184 まずこれらの問題を解決しない限り、それを行うことはできません。

We can't do it (till, whenever, unless) we solve these issues first.

185 賞味期限を確認しないと、大変なことになるかもよ。

It (will, wouldn't, had better) be troublesome if you don't check the expiration dates.

186 会議のメモを共有してもらえないかと思っています。

I was (worried, apologized, wondering) if you could share your notes from the meeting.

※取引先や先輩にお願いするような、かしこまった感じです

187 私が留守の間、花に水をやってもらえませんでしょうか？

Could you (mostly, heavenly, possibly) water my plant while I'm away?

※水をやってもらえないかと思っています。水をやる＝water

188 食料品の購入をする機会があったかどうか、気になっています。

I was wondering if you had a (chance, time, opportunity) to buy the groceries.

88

183 That's partially true, but let's look at it differently.

それは部分的には正しいけど、別の角度から見よう。

184 We can't do it unless we solve these issues first.

まずこれらの問題を解決しない限り、それを行うことはできません。

185 It will be troublesome if you don't check the expiration dates.

賞味期限を確認しないと、大変なことになるかもよ。

expiration dates は「有効期限」「賞味期限」の意味。契約書などでもよく使われる用語です。

186 I was wondering if you could share your notes from the meeting.

会議のメモを共有してもらえないかと思っています。

187 Could you possibly water my plant while I'm away?

私が留守の間、花に水をやってもらえませんでしょうか？

While I'm away の同義語としては、during my absence や in my absence、while I'm gone といった表現があります。

188 I was wondering if you had a chance to buy the groceries.

食料品の購入をする機会があったかどうか、気になっています。

groceries は、食料品や日用雑貨といった、日常的に使われる食品や必需品を指します。主に食料品店やスーパーマーケットで購入されるものを指します。

(　　　)内の語を入れ替えて正しい文を作りましょう。

189 図書館で声を抑えないと面倒になりますよ。

(troublesome / it / you / don't / be / if / will) keep your voice down in the library.

190 良いレストランを推薦してもらえないかと思っています。

(recommend / could / was / if / you / I / wondering) a good restaurant.

※主語は you ? I?

191 このプロジェクトで手伝っていただけますか？

(you / me / possibly / could / help) with this project?

192 それは部分的には正しいけど、コストはどうなの？

(true / but / , /partially / that's) what about the costs?

193 もっと時間がない限り、それを行うことはできません。

(it / unless / we / we / have/ do / can't) more time.

※終わらせるのにもう少し時間をください、と哀願するよりも強く出ています

194 問題を解決する機会があったかどうか、気になっています。

I (if / you / a chance / wondering /to / had / was) fix the issue.

89

189 It will be troublesome if you don't **keep your voice down in the library.**

図書館で声を抑えないと面倒になりますよ。

190 I was wondering if you could recommend **a good restaurant.**

良いレストランを推薦してもらえないかと思っています。

recommend a book（本をおすすめする）、recommend a movie（映画をおすすめする）、recommend a hotel（ホテルをおすすめする）、recommend a product（製品をおすすめする）

191 Could you possibly help me **with this project?**

このプロジェクトで手伝っていただけますか？

help me with the cooking（料理を手伝う）、help me with the housework（家事を手伝う）、help me with this problem（この問題を解決するのを手伝う）というふうに使われます。

192 That's partially true, but **what about the costs?**

それは部分的には正しいけど、コストはどうなの？

193 We can't do it unless we have **more time.**

もっと時間がない限り、それを行うことはできません。

time は時間としての概念を表す場合や、時間の経過を表す場合に不可算名詞として使われます。一方で特定の期間や時点を数えられる場合に可算名詞として使われます。

194 I was wondering if you had a chance to **fix the issue.**

問題を解決する機会があったかどうか、気になっています。

fix the issue は「問題を解決する」という意味です。同義語としては、resolve the issue や address the issue があります。

INDEX

INDEX

著者
塚本　亮（つかもと・りょう）

1984年、京都生まれ。高校時代は、偏差値30台で退学寸前の問題児。そこから一念発起し、同志社大学経済学部入学。卒業後、ケンブリッジ大学で心理学を学び、修士課程修了。帰国後、ビジネスパーソンやアスリートのべ6000人に対して、世界に通用する人材の育成・指導を行う。心理学に基づいた指導法が注目され、国内外の教育機関などから指導依頼が殺到。

映画『マイケルジャクソン　THIS IS IT』のディレクター兼振付師であるトラヴィス・ペイン氏をはじめ、世界の一流エンターテイナーの通訳者を務める他、インバウンドビジネスのアドバイザリとしても活躍。2020年にはJリーグを目指すサッカークラブ「マッチャモーレ京都山城」を設立。

主な著書に、『「すぐやる人」と「やれない人」の習慣』（明日香出版社）、『ネイティブなら12歳までに覚える80パターンで英語が止まらない！』（高橋書店）、『頭が冴える！　毎日が充実する！　スゴい早起き』（すばる舎）などがある。

キモチが伝わる　無敵の英会話57パターン

2024年5月9日 初版発行

著者	塚本　亮
発行者	石野栄一
発行	明日香出版社
	〒112-0005 東京都文京区水道2-11-5
	電話 03-5395-7650
	https://www.asuka-g.co.jp
デザイン	菊池　祐・今住真由美（ライラック）
カバーイラスト	usi
本文イラスト	春原弥生
ネイティブチェック	Adam Mcguire
印刷・製本	シナノ印刷株式会社

ISBN 978-4-7569-2333-2

塚本先生の本です

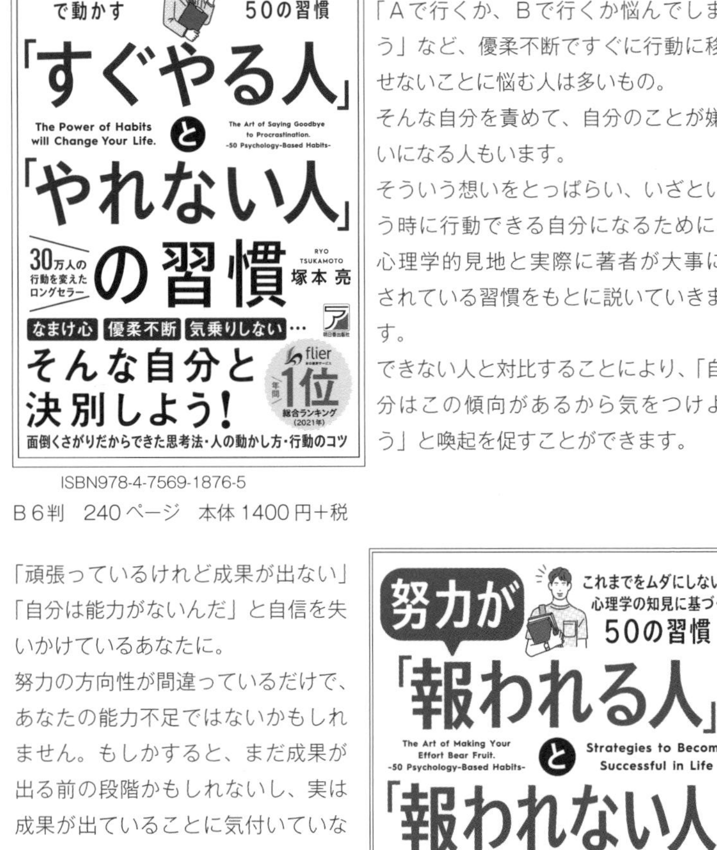

「難しく考えてしまい、結局動けない」「Aで行くか、Bで行くか悩んでしまう」など、優柔不断ですぐに行動に移せないことに悩む人は多いもの。
そんな自分を責めて、自分のことが嫌いになる人もいます。
そういう想いをとっぱらい、いざという時に行動できる自分になるために、心理学的見地と実際に著者が大事にされている習慣をもとに説いていきます。
できない人と対比することにより、「自分はこの傾向があるから気をつけよう」と喚起を促すことができます。

ISBN978-4-7569-1876-5
B6判　240ページ　本体1400円+税

「頑張っているけれど成果が出ない」「自分は能力がないんだ」と自信を失いかけているあなたに。
努力の方向性が間違っているだけで、あなたの能力不足ではないかもしれません。もしかすると、まだ成果が出る前の段階かもしれないし、実は成果が出ていることに気付いていないだけかもしれません。
視点を変えて、やり方を知ればきっと努力が報われます。
あなたの努力をムダにすることなく、明日から新たな一歩を踏み出したくなる本に。

ISBN978-4-7569-2249-6
B6判　240ページ　本体1600円+税